Carla Gozzi · Enzo Miccio

....

Ma come ti vesti?!

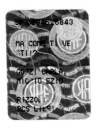

Rizzoli

© 2010 RCS Libri S.p.A., Milano
Art Director: Francesca Leoneschi
Graphic Designer: Laura Dal Maso
Illustrazioni: Iacopo Bruno
Coordinamento editoriale: Patrizia Segre
Redazione *Pillole di storia della moda*: Marianna Redaelli

Prima edizione: settembre 2010

ISBN 978-88-17-04083-9
www.rizzoli.eu

. . . .

Finito di stampare presso Errestampa s.r.l., Orio al Serio (BG)
nel mese di agosto 2010

Ma come ti vesti!?

Sommario

Ma come ti vesti?!

. . . .

Ma quanti "orrori" vediamo ogni giorno per strada! Quante sono le donne (per non parlare degli uomini – presto dovremo pensare anche a voi) che hanno bisogno di un intervento urgente di buon gusto e tanto stile? Quante sono le ragazze che, pur guardandosi spesso allo specchio, nello scegliere i loro outfit tendono a mettere in evidenza solo i difetti e non i pregi? E quante volte di fronte a un armadio straripante di vestiti, magari frutto di una recente sessione intensa di shopping, sentiamo gridare: "Ma come mi vestoooo?!".

Oltre a darvi consigli in televisione, abbiamo finalmente deciso di metterne un po' nero su bianco perché le cose vi rimangano ben impresse nella mente! Il libro, infatti, offre risposte e suggerimenti da mettere in pratica subito, anche con il guardaroba che avete già, soltanto miscelando sapientemente i vostri capi e gli accessori, come nelle migliori ricette. Qui troverete i nostri suggerimenti in forma di "Mai più senza!" e "Mai più con!", conoscerete i piccoli e grandi segreti del fashion e il suo linguaggio, scoprirete finalmente la differenza tra il tacco a cuneo e quello a rocchetto, tra la borsa Hobo e la Jackie's, tra il Peter Boot e il Beatles e non avrete più quell'aria a punto di domanda quando leggerete la sigla LBD su una rivista di moda... direte semplicemente "Ma certo, è il tubino nero!". Non andrete nel panico un secondo dopo aver aperto l'invito per il matrimonio nel castello della vostra migliore amica pensando "Ma cosa mi mettooo?". Saprete già cosa indossare per essere magnifica anche sotto 30 centimetri di neve e che look scegliere per un importante colloquio di lavoro. E davvero molto altro ancora...

Quando vi assale un dubbio, sfogliate questo libro e troverete quello che vi serve sapere. È organizzato in brevi capitoli facili da consultare: il primo è "Pillole di storia della moda", per avere un'idea di chi ha fatto cosa dall'inizio del '900 a oggi; il secondo è "Ma come ti vesti per quell'occasione?", il vademecum di tessuti e occasioni per dissipare ogni vostro dubbio sul dress code; il terzo è "L'armadio", per trovare il nome preciso di ogni capo e accessorio, scoprire cosa non può assolutamente mancare nel vostro guardaroba ("Mai più senza!") e come indossarlo in tre modi diversi grazie a semplici accorgimenti; e per concludere: "Ma come sei fatta?" dove finalmente ognuna di voi scoprirà come scegliere cosa è meglio per se stessa.

Un manuale da leggere tutto d'un fiato o da spizzicare qua e là, con tante fotografie e illustrazioni, da tenere sempre con sé, sul comodino in camera da letto o in borsetta – non teme neppure quelle più piccole! – per poter finalmente conoscere e saper scegliere cosa indossare in ogni occasione. Siamo certi che d'ora in poi non vedremo più così tanti orrori per strada... o almeno lo speriamo!

Buona lettura!

Carla e Enzo

Pillole di storia della moda

Oltre un secolo di moda:
stilisti e capi che hanno
fatto tendenza

1900–1929

....

Dal rigido corsetto alle forme morbide e leggere

La robusta tata Mamy per stringere i lacci del corsetto doveva addirittura puntare i generosi piedi a terra, strizzando con forza il busto della bella Rossella del colossal *Via col vento*.

Il corsetto, fino a 100 anni fa, era l'indumento intimo femminile per eccellenza, rappresentativo della femminilità subordinata, odiato e amato dalle donne costrette a indossarlo. Costruito con stecche di balena, disegnava una sinuosa (e inverosimile) linea a "S" mettendo in evidenza busto, spalle e fianchi, conferendo un vitino da vespa.

Chi liberò l'universo femminile dal mal di stomaco ricorrente e dalla lenta asfissia? Chi combatté per primo l'uso del maledetto accessorio cercando di rendere moderno, comodo e salutare lo stile della donna?

Artefice di questa rivoluzione fu il maestro **Paul Poiret** (Parigi, 1879-1944), un innovatore nello stile e nelle forme, un Copernico dell'abbigliamento femminile che nel 1906 rovesciò la tradizione proponendo creazioni dalle linee fluide, non più abiti dalle forme rigide.

Ai primi passi d'avanguardia del maestro Poiret seguirono altri stilisti-artisti, coraggiosi e innovatori, come **Mariano Fortuny** (Granada,

1871-1949) padre dell'abito plissé delphos, liberamente ispirato al peplo greco. Un abito dalla linea elegante e morbida che abbandonava dolcemente sul corpo una cascata di mille sottilissime pieghettine, accarezzando le sinuosità naturali della donna.

Tra i precursori della rivoluzione della moda del XX secolo non si può non citare **Madeleine Vionnet** (Chilleurs-aux-Bois, 1876-1975). Madame Vionnet, première presso la sartoria delle sorelle Callot, dei paludamenti dei corsetti ottocenteschi e delle stecche di balena non voleva proprio sentirne parlare.

La sua Maison d'alta moda aperta nel 1912 vestiva la nobiltà e l'alta borghesia europea, nonché le donne dei latifondisti sudamericani, con abiti dall'innovativo taglio di sbieco. Linee a sottoveste, colli a cappuccio, tessuti leggeri drappeggiati e ruche dal taglio circolare erano come un marchio di fabbrica che resero Vionnet una delle più importanti firme francesi. Una vera e propria ricercatrice della forma che lasciò il segno influenzando profondamente gli stilisti del '900. Senza di lei certi abiti a sirena della Hollywood anni '40 non sarebbero mai stati confezionati. Senza di lei i noti Dolce&Gabbana, Blumarine o Cavalli avrebbero modellato a fatica.

Se la Vionnet venne considerata quasi un architetto della moda, la stilista per eccellenza del primo '900 è senza ombra di dubbio **Gabrielle Chanel** (Saumur, 1883-1971).

Coco, la ribelle, la "bestiolina" come la soprannominarono durante gli anni in orfanotrofio: donna d'ingegno scalpitante e impertinente, non fu solo una designer, ma una vera e propria icona di stile. Una modernista che seppe interpretare con le sue

Coco

·············

Rivoluziona il concetto
di lusso, contrapposto alla
volgarità: *"Trovo vergognoso
che si vada in giro mettendo
milioni intorno al collo, solo
perché si è ricchi. La funzione
dei gioielli non è quella di
mostrare che una donna è
ricca, ma di valorizzarla".*
Da qui la sua gettonatissima
linea di bigiotteria, disegnata
insieme al duca Fulco di
Verdura. Lo stile bizzarro
e surreale del gioielliere
palermitano la incantava per
la freschezza delle invenzioni
e gli insoliti accostamenti
cromatici: amava mescolare
le pietre preziose a quelle
semipreziose, oro e platino,
natura e storia, finzione
e realtà. Celebri i suoi
tourchon in perle, i bracciali
bizantini, le creazioni giocate
sul tema delle conchiglie
o delle monete antiche.

creazioni le necessità di un mondo in rapido e continuo mutamento, e le esigenze di una nuova donna, non più relegata a custode del focolare ma protagonista della storia cominciando a godere di un'indipendenza fino ad allora sconosciuta.

Praticità, dinamismo, funzionalità, ma anche seduzione ed eleganza: questi i cardini della nuova donna, queste le caratteristiche delle creazioni della Maison Chanel. La consapevolezza del proprio corpo, la comodità e la mascolinità opportunamente mescolate alla femminilità, sono i principi cui attinse per sedurre le donne (e gli uomini) con le sue creazioni. Fu la prima a indossare i pantaloni, a fare del blazer, del cardigan e della camicia bianca dei must nel guardaroba femminile.

Una donna dalle folgoranti intuizioni: le scarpe bicolore che slanciano la figura, quelle che, *"ça va sans dire"*, sono riconosciute ormai con il termine tecnico Chanel, l'utilizzo del jersey non più solo per i capi intimi ma anche per i capi esterni, la lavorazione della maglia per tailleur e capispalla, i grandi cappelli per proteggere la pelle del viso nelle giornate dedicate allo sport, le camelie tra i capelli o appuntate su un semplice tubino nero (finalmente approdato nel guardaroba femminile!) e il celeberrimo – nel packaging futurista e nella fragranza – Chanel n° 5. Un personaggio di carattere che con il suo stile ha profondamente segnato la storia del costume, sdoganando e rendendo chic i concetti di abbigliamento "povero" e di "paccottiglia". Fu lei che disse: "La moda passa, lo stile resta".
Merci Coco.

Come Coco Chanel,
anche **Jeanne Lanvin**
(Parigi, 1867-1946)
cercò collaboratori tra
gli artisti dell'epoca.
I suoi abiti moderati
nei volumi erano ricchi
di quei ricami che,
stilizzando antichi
motivi, li rendevano
unici. Donna e
sarta di gran gusto
estetico in sintonia
con il suo tempo, fra
esotismi e suggestioni
d'Oriente, Lanvin
portò il suo atelier
a una straordinaria
affermazione negli
anni '20, con 1200
addetti e sette
succursali tra Madrid e
Buenos Aires.

16·17

1930–1939

....

Arte e stile modernista
irrompono nella moda

Soffia un vento modernista sugli anni '30. La moda e i costumi si ispirano all'arte, allo sport e alla vita all'aria aperta. Grandi i cambiamenti: gli abiti escono finalmente dagli atelier e fanno capolino, grazie a Coco, sulle prime passerelle prêt-à-porter.

Sono bozzoli di jersey, lana sottile e seta le sculture di tessuto proposte da **Madame Grès** (Parigi, 1903-1993): la "Signora Drappeggio" definì una nuova metodologia sartoriale, presa in prestito dall'architettura. I suoi abiti, pur avendo la stessa leggerezza del vento, sembravano reggersi autonomi su strutture portanti fatte di spirali, pieghettature degradanti, volute concentriche o a chiocciola.

Elsa Schiapparelli (Roma, 1890-1973) è la designer che fa dell'arte contemporanea e del gusto modernista la sua sorgente d'ispirazione. Prima a suggerire disegni grafici e surreali, gioca con l'illusione proponendo trompe-l'oeil sui capi e sulle stampe all over. Celebre, tra gli altri, è il pull oversize nero a disegni bianchi.

Moderna e sperimentatrice utilizzò materiali sintetici, lavorazioni originali e nuovi volumi: vinile per abiti da sera con zip decorative, tessuto goffrato effetto corteccia d'albero, rayon e rhodophane trasparente per mantelle da lei ribattezzate "cappe di vetro". E ancora, suoi celebri brevetti come la pagoda shoulder line, una nuova forma della spalla ispirata alle pagode orientali, e il rosa Schiapparelli, la tonalità shocking del tenero colore. Assidua frequentatrice dell'ambiente surrealista, instaurò proficue collaborazioni con artisti del calibro di Salvador Dalí e Jean Cocteau. Da non dimenticare i cappelli in feltro di forma appuntita e la bigiotteria esagerata. Elsa non solo rivoluzionò forme e colori, ma apportò trasformazioni anche nel mercato inaugurando la stagione del prêt-à-porter in boutique, con la vendita di capi già confezionati.

Negli stessi anni, sui campi da tennis comparve un animale esotico, un coccodrillo: così soprannominato, il grande giocatore **René Lacoste** (Parigi, 1904-1996) si faceva cucire sulle giacche di rappresentanza un piccolo coccodrillo verde. Alla chiusura della sua carriera da tennista, decise di produrre un modello a polo con le maniche corte in piqué di cotone bianco con lo stesso simbolo onorifico ricamato sul petto. La maglietta divenne il must have nell'ambiente sportivo perché con un accorgimento tecnico, la parte posteriore più lunga di quella anteriore, rimaneva infilata nei pantaloni anche in seguito ai movimenti bruschi tipici del golf o del tennis. La diffusione e la fama arrivarono negli anni '60, quando l'abbigliamento sportivo divenne un modo comune di vestire: più semplice, informale e confortevole.

Un bambino e il suo sogno: fare il calzolaio. Un mestiere umile quello intrapreso dal giovane **Salvatore Ferragamo (Bonito, 1898-1960)**, ma che gli ha permesso di rimanere nella storia come uno dei personaggi italiani più celebri al mondo. Emigrato negli Stati Uniti nei primi anni '20 a cercar fortuna, con in tasca solo tanta creatività, passione e manualità artigianale, in brevissimo tempo divenne "il ciabattino delle dive". È la Hollywood degli anni d'oro quella che si rivolge a Ferragamo: Gloria Swanson, Jean Harlow, Greta Garbo, Rodolfo Valentino. Per loro crea calzature su misura, uniche, fatte di piume, cristalli, ricami, pelli di canguro e antilope, dalle forme particolari, studiate apposta per il committente: la punta francese, il tacco a zeppa (diventato il simbolo mitologico della Maison italiana), il sandalo alla romana, il modello a conchiglia. Autentiche opere d'arte.

1940-1949

....

Haute Couture e grandi nomi tra sfarzo e fascino intramontabile

*U*na moda che non tramonterà mai quella degli anni '40, un look capace di far sentire ogni donna una vera diva: femminile, affascinante e misteriosa. Dire anni '40 significa pensare alle divise-tailleur di "un Dior", alle linee precise e strutturate di "un Balenciaga" o alla preziosità di "un Balmain". Ed è storia.

L'allontanamento temporaneo di Mme Chanel dalle passerelle fece diventare **Christian Dior** (Granville, 1905-1957) il vero protagonista del decennio e dell'intero XX secolo. Iniziò la sua carriera a Parigi come assistente nella sartoria di Lucien Lelong. Lì rimase fino al 1946 quando il boom economico del dopoguerra gli permise di aprire il suo laboratorio e di porre le basi per quella rivoluzione che Carmel Snow, l'allora direttrice di *Harper's Bazaar*, ribattezzò "New Look" (vedi foto). In un ritorno alla femminilità pronunciata, tutto teso a cancellare le restrizioni del tempo di guerra, Dior lanciò immense gonne in sboccio dalla vita minuscola che veniva strizzata in giacchini-corpetto (ricompaiono infatti corsetto e guêpière) enfatizzando petto alto e spalle minute. Dior è ormai Dior: le sue donne hanno silhouette ispirate alle lettere dell'alfabeto, H, Y, A, e si muovono sui nuovi tacchi a spillo, ideati in collaborazione con Roger Vivier, eccellente calzolaio di fiducia.

Tessuti rigidi e forme astratte furono il segno distintivo dello stilista spagnolo **Cristobal Balenciaga** (Getaria, 1895-1972). Considerato maestro della Haute Couture, Balenciaga era uno dei pochi stilisti a tagliare e cucire i propri capi. Il suo atelier era condotto come un austero collegio e rifletteva il suo carattere schivo. Tanta era la disciplina che le modelle non potevano parlare nei camerini durante la sfilata, neppure sottovoce: Colette, sua modella feticcio, aveva sguardo spietato e camminata vampiresca. Esseri di una bellezza particolare, le mannequine non dovevano distogliere l'attenzione dai suoi abiti. Ma come dargli torto?

Pignolo e perfezionista era anche **Pierre Balmain** (Saint-Jean-de-Maurienne, 1914-1982). Contrasto era la sua parola d'ordine: semplicità estrema dell'eau de toilette Jolie Madame contrapposta a opulenti ricami, volpi bianche ed ermellino che arrivavano a far costare un dinner dress anche 120.000 franchi! Del resto doveva accontentare donne aristocratiche come la duchessa di Windsor e del Kent o la regina Sirikit di Thailandia. Per Juliette Grecò creò il primo abito nero attillatissimo che divenne la divisa degli esistenzialisti. Addirittura la paladina dell'antimoda, BB (Brigitte Bardot), si affidò a Balmain per la mise adatta al suo incontro con la regina Elisabetta d'Inghilterra. Scintille tra i due quando BB cercò di opporsi alla copertura del suo celebre décolleté, ma, una volta di ritorno dalla visita ai reali ringraziò Balmain: "Tutta la stampa ha notato la mia prorompente modestia". Lo stilista amava circondarsi di donne altissime, tant'è che per primo scelse di lavorare con modelle alte più di 170 cm. Pura avanguardia, se si considera che Balmain voleva solo watusse dai piedi piccolissimi: vere e proprie creature da laboratorio.

Siamo nel lontano 1837 quando un sellaio, **Thierry Hermès**, apre a Parigi una bottega per bordature e finimenti da cavallo. Dopo 40 anni la seconda generazione si installa in rue du Faubourg Saint-Honoré, in un negozio che poi diventerà la sede della Maison: la più conosciuta al mondo nell'ambito della pelletteria e valigeria extra lusso. "Innovazione nella continuità della tradizione": questa la filosofia del brand che è diventato sinonimo di eleganza démodé, terribilmente chic, terribilmente francese. Negli anni '30 vengono realizzati alcuni dei più famosi feticci Hermès: la cintura con la fibbia ispirata ai collari dei cani, la borsa a sella (ribattezzata Kelly in onore della principessa di Monaco che la sfoggiò per una copertina di LIFE) e i Carrés, i raffinatissimi foulard di seta stampata. Segue nel '49 la presentazione della prima collezione di prêt-à-porter e nel '56 l'altrettanto celebre Birkin Bag per la quale, ancora oggi, esistono liste d'attesa quasi leggendarie.

1950–1959

....

Quadri e cerchi regalano
ai tessuti una nuova fantasia contagiosa

Sottogonne e twin-set, tacchi e ballerine, quadretti Vichy e pois esaltano la femminilità. I capi più amati sono le gonne attillate in vita e scampanate o gli abiti che acquistano scioltezza ed eleganza. I corpetti giocano con drappeggi, pince nascoste e inserti couture. Fantasie floreali, pois, sfumature blu zaffiro o rosa confetto donano un tocco di romanticismo.

Coco Chanel, creatrice di uno stile chic e disinvolto, ottiene il massimo successo nel 1954, alla riapertura del suo atelier di Rue Cambon. Aveva 71 anni, ma il suo tailleur in maglia dalla linea sottile con bordi in passamaneria lavorata e gonna sotto il ginocchio divenne riconoscibile a livello internazionale.

Il dopoguerra segnò l'arrivo a Parigi di un'altra giovane promessa: **Hubert de Givenchy** (Beauvais, 1927), che nel '57 fonda la sua Maison: mai nella storia della moda ci fu una così stretta relazione tra stile – fatto di semplicità formale, grazia rigorosa e maniacale attenzione per i dettagli – e il suo creatore. Non c'è da stupirsi se Givenchy, uomo elegante e di gusto, trova nel fisico acerbo e ingenuamente raffinato di Audrey Hepburn (vedi foto), la sua musa. È per lei infatti – prima di una lunga serie di star ambasciatrici – che disegnerà alcuni dei suoi

capi icona: il celeberrimo tubino nero di COLAZIONE DA TIFFANY, la gonna a palloncino o l'abito a bustino.

Nel '57 un algerino di nome **Yves Saint Laurent** (Orano, 1936-2008) sostituisce Monsieur Dior alla direzione artistica della Maison. La collezione "Trapezio" consacra il neo diplomato couturier come enfant prodige della moda francese. Il suo stile si distingue per la sicurezza dei tagli sartoriali, per le linee morbide ma essenziali. Individualista e indipendente, lascia la Maison negli anni '60 per aprire il proprio atelier. Il successo è immediato: le sue creazioni, non troppo elaborate ma ricercate nei tessuti, prendono spunto dalla storia, dall'arte, dalla letteratura e dalle sue origini esotiche. C'è una forza insolita nell'abbinamento dei colori, nella ricchezza dei ricami, nella fantasia di certi indumenti di matrice etnica come la sahariana o il djellabah. Ma c'è anche rigore formale e una propensione a includere nell'abbigliamento femminile tagli e capi tratti dal guardaroba maschile: nel '66 nasce lo smoking da donna, un classico Yves ancora oggi.

La scena sembra dominata dai soli couturier parigini quando, nel '51 a Firenze, **Roberto Capucci** (Roma, 1930) presenta la sua prima collezione, tanto sensazionale da far capitolare in sinceri complimenti il grande Dior appena prima della sua morte. Si guarda un abito Capucci e si capisce quanto gli studi di architettura e scenografia l'abbiano influenzato. Mesi di lavoro certosino per scolpire plissettature, nervature e volute. Maestro nel trattare metri di raso, seta grezza, taffetà, mikado, georgette, duchesse come tessuto evanescente ma scultoreo.

Velluto rosso, verde e blu e ricami in oro per la borsa Bagonghi del marchio **Roberta di Camerino**, creato da Giuliana Coen Camerino (Venezia, 1920-2010): un must have di quegli anni che ogni donna vuole avere.

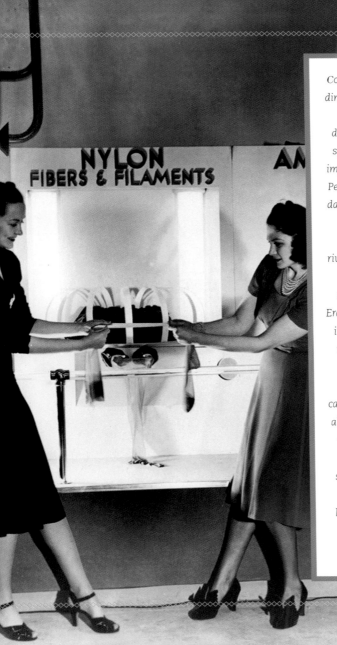

Come si fa in fretta a
dimenticare la propria
storia se persino
d'inverno si vedono
sgambettare donne
impavide senza calze!
Perché non riesumare
dai cassetti quella che
negli anni '50
fu definita la
rivoluzione del secolo?
Collant per tutte,
signore, fa freddo!
Era il '57 e Allen Grant
inventò il **collant in
nylon**, impalpabile
ma resistente. Ok,
è pur sempre una
calzamaglia femminile
alta fino alla vita, ma
rendiamo giustizia
all'importanza
sociale e tecnologica
di un capo che ha
liberato i movimenti
dall'impalcatura
del reggicalze!

1960-1969

....

La moda si dirige verso frontiere stilistiche irriverenti

Dal punto di vista dell'estetica lineare, gli anni '60 rivisitano la famosa linea "Trapezio" presentata nel 1958 dal giovane Yves Saint Laurent, vestiti a forma di sacco che ignoravano il punto vita e cappotti stretti in alto e svasati verso il basso, spesso lavorati con stoffe delicate, pizzi e sete e realizzati in colori tenui. I vestiti a sacco degli anni '60 sembrano abiti per bambini, non hanno quasi nessun dettaglio decorativo o tagli raffinati, ma sono sempre confezionati con rigidi tessuti sintetici dal taglio diritto o leggermente svasato. Ciò che conferisce carattere e stile sono i motivi grafici psichedelici, le fantasie floreali molto colorate e i materiali futuristici come la carta, il cellophane e il metallo. Se di eleganza tradizionale o signorile non si può parlare, allora questo è proprio lo scopo voluto. I nuovi abiti devono innanzitutto sembrare giovanili e poco convenzionali, divertenti e irrispettosi. In questi anni di tendenze scanzonate, **Valentino Garavani** (Voghera, 1931) rappresenta l'eccezione che conferma la regola (vedi foto). Fin da giovane manifesta di avere una precisa idea di stile ed eleganza. Disegna figurini dal tratto sicuro, gioca con pezze di tessuto, s'innamora del rosso fino a farne il mattatore di tutte le sue future collezioni. Nel '62 la sua collezione sfila per la prima volta a Firenze: la tensione è palpabile visto che solo qualche anno prima, all'apertura del suo atelier, il fallimento era stato totale. Ma questa volta è ovazione. Principesse (Farah Diba), attrici (Liz Taylor, Sophia Loren) e First Lady (Jackie Kennedy, Nancy Reagan) lo subissano di ordinazioni. Padrone assoluto del mestiere, della tecnica e dell'artigianalità, Valentino è il couturier dei sogni di moda di intere generazioni.

È invece un sogno ambientato nello spazio quello messo in scena da **Pierre Cardin** (Sant'Andrea di Barbarana, 1922) con la collezione prêt-à-porter del '67/'68. Abiti da astronauta, pazzie al limite del kitsch e invenzioni d'avanguardia – come gli aggressivi gioielli in plastica – si mischiano a capi di un'eleganza sofisticata, pura e geniale. Sempre attento ai cambiamenti della società e alle tendenze della strada, nel '58 scandalizza il mondo della couture firmando un contratto con la Rinascente e alcuni grandi magazzini tedeschi. "Far parlare vuol dire vendere", così Cardin anticipa (e di molto) la tendenza attuale delle collaborazioni eccellenti tra brand del lusso e mass market.

A metà degli anni '60 **Yves Saint Laurent** raggiunge l'apice del successo. La collezione ispirata a Mondrian, al minimalismo e alla geometria rigorosa ma colorata delle sue opere, è la sua più fortunata: linee rigorose, abiti diritti in jersey e impermeabili in vinile diventano icone di un'epoca.

Ma è grazie a **Emilio Pucci** (Napoli, 1914-1992) che le fantasie si consacrano come segno distintivo dello stile Sixties. Nato a Napoli da padre russo, il marchese Emilio Pucci di Basento, dopo aver

a Milano. Le sue creazioni sono double face: il tessuto, creato dal lanificio Agnona, ha interno ed esterno identici. C'è pulizia di stile, ordine, concetto. Forse proprio per questo il marchio Mila Schön è stato il primo brand italiano importato in Giappone.

Negli Stati Uniti, **Oleg Cassini** (Parigi, 1913-2006) diventa nel '61 lo stilista ufficiale del jet set. Americano di origini russe, nasce come costumista a Hollywood: suoi i tubini e le redingote indossate da Audrey Hepburn. Ma soprattutto sua la firma di tutto il guardaroba che la First Lady Jackie Kennedy indossò in occasione della visita in India nel '62, e che le fece guadagnare la nomea di "Ameriki Rani", regina d'America.

Ci sono l'umiltà e l'onore degni di un sovrano nella scelta di **Emanuel Ungaro** (Aix-en-Provence, 1933) di rimanere lungamente al servizio di un solo maestro, Balenciaga, presso il cui atelier fa esperienza accontentandosi anche solo di passare gli spilli e cucire le fodere. Figlio di un sarto pugliese emigrato in Francia, Emanuel decide solo nel '65 di mettersi in proprio e fondare, con la compagna di allora, il suo laboratorio. Gli abiti leggeri e dinamici, gli abbinamenti delle sete rosso fuoco e fucsia lo fanno diventare presto il sarto di riferimento di attrici internazionali come Catherine Deneuve, Anouk Aimée o Lauren Bacall.

Per gli accessori di lusso spicca la Casa **Fendi** che, nata nel 1925 come pelletteria, grazie alla qualità delle sue borse acquista una fama internazionale tra gli anni '50 e '60. I fondatori lasciano la casa di moda in mano alle nuove generazioni che riescono a coinvolgere nel '65 talenti come Karl Lagerfeld. Ricerca sui materiali, eccellenza del pellame e delle conce, design classico ma di avanguardia caratterizzano da sempre la produzione Fendi.

Ragazze degli anni '60

. . . .

Mirella Petteni, **Benedetta Barzini**, **Marina Schiano**, **Elsa Martinelli** e **Isa Stoppi** sono le "Ragazze degli anni '60", raccontate proprio da quest'ultima nell'omonimo libro. Una piccola ammiraglia di donne bellissime, fascinose e colte che nella "stagione importante" portano oltre i confine il volto dell'Italia e della ripresa economica. Cominciano tutte come modelle: Schiano, Petteni e Stoppi sono le muse del fotografo Gian Paolo Barbieri i cui scatti, commissionati dalle redazioni di moda più importanti d'America, rappresentano per queste giovani grazie il lasciapassare per il successo internazionale.

Mirella Petteni, bellezza classica e aristocratica, diviene la contessa di Helmut Newton che la immortala più volte per la copertina di VOGUE AMERICA, dell'allora direttore Diana Vreeland. Marina Schiano, napoletana dai tratti orientali, si trasferisce a New York per lavorare con fotografi del calibro di Avedon o Hiro. Diventa amica di Andy Warhol e negli anni '70 Yves Saint Laurent le affida la direzione della sua sede americana. Anche Elsa Martinelli fa i suoi primi passi nella moda, per poi dedicare la sua vita, a partire dagli anni '50, alla settima arte e ancora oggi lavora per produzioni hollywoodiane.

Swinging London

....

Mary Quant (Blackheath, 1934), stilista inglese, è la portavoce del movimento ribelle e scanzonato della Swinging London. Produce abiti a buon mercato, perfetti per le adolescenti dell'epoca e rivoluzionari rispetto al perbenismo formale: minigonne (ne divide l'invenzione con Courregés), skinny rib e collant fantasia; colori fluo e saturi e materiali stravaganti come il PVC. Il suo ideale femminile viene incarnato da Twiggy (vedi foto), la modella simbolo di una generazione di ragazzi che vestono come i Beatles e girano in Lambretta: acerba e flessuosa è ancora oggi considerata l'antesignana della magrezza che fa look.

Ossie Clark (Warrington, 1942-1996), stilista di punta del periodo Sixties londinese, comincia a disegnare vestiti per la boutique Quorum, frequentata dalla gioventù blasonata della scena pop di Chelsea. Crea giubbotti in pelle da motociclista e abiti leggerissimi di chiffon stampato multistrato, ispirati al mood gitano dello stile hippy. Tratta con abilità tessuti come il crêpe, il raso, il jersey e fa disegnare i motivi grafici dalla moglie Celia Birtwell.

Zandra Rhodes (Kent, 1940), considerata negli anni '60 una delle stiliste più creative e innovative, utilizza tessuti eleganti ed esotici per i suoi abiti maxi, gli ensemble da sera e i soprabiti ricercati. È famosa per aver proposto con successo la tuta stampata, morbida nei volumi e leggerissima.

1970-1979

....

*I nuovi movimenti culturali
contaminano indumenti e accessori*

C olori sgargianti, fiori sproporzionati, disegni geometrici: un trionfo di tinte e fantasie per dare vita a una nuova giovane generazione. Legato al Flower Power, ai motti pacifisti del "*Make Love, Don't Do War*" e alla Beat Generation, lo stile degli anni '70 rivoluziona l'identità della donna: *engagée*, rocker, libera da ogni stereotipo classico femminile. La vita si abbassa, i vestiti abbandonano le geometrie anni '60 e si ammorbidiscono, il tacco si allarga fino a diventare una zeppa. I tessuti da una parte seguono la filosofia Flower Power privilegiando cotone grezzo, canapa, pizzo sangallo e maglieria, dall'altra abbracciano il mondo dei punk con cuoio, gomma e anche catene.

Proprio **Vivienne Westwood** (Tintwistle, 1941), famosa stilista inglese (vedi foto), si fa portavoce e madre della rivoluzione punk. Insieme al musicista Malcom McLaren fonda Let it Rock, al 430 della mitica King's Road di Londra, boutique dove presenta la sua prima collezione dedicata ai rocker. È stata l'artefice del successo mediatico e dello stile trasgressivo dei Sex Pistols, gruppo simbolo del punk inglese. Vivienne Westwood crea vestiti di cuoio, maglie interamente realizzate in gomma, utilizza catene sia sulle giacche di pelle – il "chiodo" – sia

Il denim

....

Robusto, duraturo, di facile manutenzione
e dal classico colore blu, a metà dell'800
il tessuto denim diventa perfetto per
l'abbigliamento da lavoro prodotto dal
marchio Levi's, nato nel 1853. L'evoluzione
dei costumi lo fa diventare il tessuto
casual per eccellenza tanto che negli anni
'70 i blue-jeans diventano un indumento
per il tempo libero. Tra i marchi storici che
hanno contrassegnato l'affermazione della
tela denim, Wrangler detiene la leadership
in campo produttivo: fautrice dell'utilizzo
della zip per i jeans al posto dei bottoni,
l'azienda lancia i pantaloni a zampa
d'elefante. Anche Henry David Lee ha un
ruolo importante quando nel 1911, cucendo
in un unico pezzo diverse tele denim, crea
quasi per caso la salopette: nasce così
l'avventura del marchio Lee, famoso per
la toppa in pelle marchiata che diventa un
vero e proprio segno di riconoscimento. Da
allora, un continuo crescendo produttivo:
pantaloni stretti, tagli a zampa, slank e
coordinati con camicie e shirt in denim.
Negli anni 2000 il jeans diviene un capo
di lusso, a volte impreziosito da inserti
in couture, realizzato da tutte le grandi
case di moda, nessuna esclusa, e venduto
a prezzi altissimi: siamo ben lontani dalle
umili origini come indumento da lavoro.

sulle T-shirt con stampe artistiche o con frasi anarchiche come la famosa DIY (Do It Yourself), motto punk per eccellenza.

Le atmosfere glamour, le notti folli allo Studio 54 e l'effervescenza artistica della Factory di Andy Warhol sono invece gli spunti creativi di **Halston Frowick Roy** (Des Moines, 1932-1990). Stilista newyorchese e costumista teatrale per Martha Graham, negli anni '70 diventa leggenda perché semplifica gli abiti in forme tubolari o a T: utilizzando lo chiffon colorato e il jersey a pannello rende la silhouette sexy, longilinea ed elegante. Le sue seguaci – dette "halstonette" – vestono caftani, pantaloni fluidi a zampa d'elefante, abiti da sera con profonde scollature, cappe a sacchetto e capispalla in camoscio mano-seta.

Accenti più moderati per il grande sogno americano di **Ralph Lauren** (New York, 1939). Stilista e manager, alla fine degli anni '70 regala un sogno a se stesso e agli americani creando uno stile coloniale e sportivo: un vero e proprio classico moderno. Attenzione ai materiali, velluti e cargo con i quali realizza collezioni basic per il tradizionale pubblico statunitense dei country club. Famosa e ancor oggi diffusissima la T-shirt in piqué logata con il giocatore di Polo, da cui prenderà il nome.

Ricerca sui materiali anche per Mme **Sonia Rykiel** (Parigi, 1930) famosa per la maglieria a righe in ciniglia color fucsia e aubergine. Trasforma il tricot in elemento moda, determinandone uno stile tutto particolare e conferendo alla maglia quell'appeal che è proprio solo dello chiffon. L'approfondimento della progettazione stilistica del tricot la porta a specializzarsi sull'underwear, capo principale delle sue boutique.

C'è della poesia nella lingerie creata da **Chantal Thomass** (Parigi, 1947), regina del genere: sensualità sussurrata nelle trasparenze dello chiffon, femminilità giocosa e succulenta nelle guêpière e nelle giarrettiere in raso, reggiseni carioca e sofisticata malizia nei collant di pizzo e seta. Come stilista debutta negli anni '60, quando trasforma i foulard dipinti a mano dal marito in abitini e vestagliette. Il suo tocco bohémien crea una tendenza che contagia personaggi del calibro di Brigitte Bardot (vedi foto).

La stilista-imprenditrice belga **Diane von Fürstenberg** (Bruxelles, 1945) è l'artefice invece del famoso abito in jersey stampato e avvolgente come un foulard, definito wrap dress. Uno stile immediatamente popolare che la fa entrare nel firmamento della moda internazionale, esponendo alcuni capi al MoMA di New York.

Ricerca sui tessuti ed esplorazione delle potenzialità della maglieria per l'italiano **Ottaviano Missoni** (Ragusa, in Dalmazia, 1921) che fa di questo la materia principe delle sue collezioni, così stravaganti e lavorate da far esclamare ai critici estasiati dopo le sue sfilate: "Missoni eleva la maglia a una forma d'arte. I suoi capi sono pezzi da museo, ma voi indossateli pure".

Walter Albini (Busto Arsizio, 1941-1983) raffinato e rigoroso, geniale e carismatico, è stato il primo a dar vita al lusso accessibile, a creare la moda italiana prêt-à-porter uscendo dall'atelier e portando la produzione in fabbrica. Capi di gran classe non più prodotti in quantità limitate e finalmente alla portata di più persone. Rivoluzionario e antesignano, è stato anche il primo ad alzare il volume della musica durante le sfilate per mettere a tacere il fastidioso chiacchiericcio di sottofondo.

Commerciante più che stilista, sociologo più che creativo, osservatore più che precursore: questo è **Elio Fiorucci** (Milano, 1935), che negli anni a ridosso del '68 intuisce i nuovi bisogni, i cambiamenti nel gusto, le spinte dal basso della moda pagana e provocatoria vista sulla scena londinese, in forte contrasto con quella confezionata e borghese (vedi foto). Milanese, figlio di bottegai, dai viaggi in giro per il mondo con il suo team di lavoro (giovani talenti, cavalli di razza senza briglie) torna sempre con nuove proposte, tendenze, materiali e accostamenti dallo stile anarchico. Le sue sono intuizioni "incasinate" per una cultura senza tabù: minigonne in tulle dai colori televisivi, jeans modellanatiche, T-shirt stampate con angioletti, monokini con bretelle, e ancora gonnellone di merletto, galoche di plastica, assemblaggi di astrakan su giacche militaresche, iconografie irriverenti di donne ispirate agli anni '50, alla Pop art e al burlesque. Il Fioruccismo è da allora una vera e propria ideologia.

1980-1989

....

Silhouette dalle linee marcate definiscono il decennio del kitsch

*H*o tanta voglia di... 80! Diciamolo subito: la moda Eighties non donava alla stragrande maggioranza delle donne, ma questo decennio aveva un fascino kitsch indiscusso fatto di pantcollant – oggi saggiamente definiti leggings – e jeans seconda pelle a vita alta e stretti alla caviglia – astenersi lato B al di sopra della 36 – ma sempre con risvolto, per dare importanza al mitico calzino bianco, a volte in spugna! Una carrellata di feticci modaioli per esaltare un corpo scolpito da ore di aerobica: spalline imbottite, micro blouson con maniche a pipistrello, tailleur-armatura per donne in carriera (da ufficiale?!), trucco fluo e colori dirompenti, chiome leonine cotonate, fiocchi, pizzi, vinile, catene e... chi più ne ha, più ne metta!

Tempo d'imperi e di sovrani gli anni '80: è infatti in questa decade che si afferma il regno indiscusso di "King Giorgio". **Giorgio Armani** (Piacenza, 1934), inizialmente molto amato dagli american gigolo d'oltreoceano (dopo aver vestito un incredibile Richard Gere nell'omonimo film che ha segnato un'epoca, vedi foto), è ancora oggi il sinonimo globalmente riconosciuto del Made in Italy, di un total look e di un lifestyle dinamico e urbano, fatto di una razionalità rivoluzionaria. Armani è tutt'uno con il successo della famosa giacca che libera l'uomo dalla corazza borghese e dà sicurezza alla donna con la sua apparenza mascolina. Sceglie stoffe leggere, colori freddi, non usa fodere, sposta i bottoni, assottiglia e arrotonda le spalle: le sue sono intuizioni che fanno storia, come quella di vedere nei giovani un nuovo mercato inesplorato. A loro dedica, con una scelta strategica e originale, le seconde linee Emporio e Jeans, alla portata di tutti ma dal fascino indiscusso.

Insieme a Giorgio Armani è Mariuccia Mandelli, in arte **Krizia** (Bergamo, 1935), a rappresentare il valore dello stile italiano all'estero. Nata a Bergamo, ex-insegnante, si lancia nella moda sperimentando su capi dal taglio quasi francescano tutta la sua verve creativa e innovatrice. Mescola materiali, forme e lavorazioni: la maglia ha punti tricot insoliti e si combina alla seta, lo chiffon si doppia alle pelli esotiche (anguilla o anaconda) sugli abiti plissé evocando libellule, draghi, chiocciole e farfalle metallizzate argento, oro, bronzo. È nel brand Krizia Maglia che nasce il bestiario portafortuna della stilista: gatti, orsi, volpi, bestie feroci ma eleganti come la pantera – suo simbolo – il ghepardo o la tigre. In America la chiamano "Crazy Krizia", eppure nel '99 la New York University le dedica una mostra retrospettiva per i suoi 40 anni di attività.

Dante Trussardi fonda nel 1910 la sua guanteria a Bergamo. Sessant'anni dopo, il nipote **Nicola Trussardi** (Bergamo, 1942-1999) prende le redini dell'azienda e cerca di dare nuova vita al mondo del guanto in declino. Studia i pellami più morbidi e crea a una linea di accessori funzionali riconoscibili dal marchio del levriero, simbolo di modernità e dinamicità. Dagli accessori all'abbiglia-

Vento d'Oriente

Arrivano silenziosi e con movimenti leggeri gli stilisti giapponesi **Yhoji Yamamoto** (Tokyo, 1943), **Rei Kawakubo "Comme des Garçons"** (Tokyo, 1942), **Issey Miyake** (Hiroshima, 1938), **Junya Watanbe** (Fukushima, 1961), **Kenzo Takada** (Himeji, 1939), ma non senza farsi notare! Moda post-atomica quella di Yamamoto, definita così da una sciocca e perplessa platea occidentale: abiti fatti di tagli indefiniti e squarci, linee decostruite, ostinata ricerca sui tessuti in cui tecnologia e tradizione si mischiano per dar vita a nuovi codici d'abbigliamento futuristici. Issey Miyake, concettuale e asceta più degli altri, trasporta sulle forme dei vestiti e sulla lavorazione a plissé la sua visione della moda, ossia un incontro tra le suggestioni d'Oriente e l'audacia d'Occidente. Kenzo Takada, delicato genio giapponese creatore l'omonima Maison, dà vita a creature colorate, spontanee, poetiche e piene di freschezza. Dopo trent'anni di carriera nel 1999 Kenzo si ritira e dal 2003 il direttore artistico è l'italiano Antonio Marras: ispirato dall'artigianato proveniente da culture contrastanti, crea un linguaggio contemporaneo ed eclettico che segue perfettamente le linee ispiratrici della Maison: esplorazione e sperimentazione. Junya Watanabe, cresciuto nella scuderia "Comme des Garçons", di Rey Kawakubo è oggi uno stilista molto hot che crea linee ardite con materiali particolari.

mento stile british il passo è breve per quest'azienda familiare. Il percorso di **Alberta Ferretti** (Cattolica, 1950) parte nell'ambito del retail verso i 18 anni, quando apre una prima boutique multibrand a Cattolica, in Romagna, terra d'origine. Tra i marchi venduti Armani, Kenzo, Missoni. Tuttavia, grazie a uno spiccato senso estetico per i tessuti di pregio, i cromatismi delicati e le lavorazioni accurate che fin da bambina ha affinato guardando la mamma in sartoria, decide nel '74 di disegnare la sua prima collezione. L'anno dopo sfila a Milano e fonda l'azienda Aeffesfilando, intrattenendo accordi produttivi con altre importanti griffe come Moschino, Rifat Ozbek, Gaultier e più di recente Narciso Rodriguez e Pollini.

"Non c'è creatività senza caos." Questa la filosofia di **Franco Moschino** (Abbiategrasso, 1950-1994), il fil rouge di una moda iconoclasta, sovversiva e paradossale che sopravvive ancora oggi nonostante la prematura morte dello stilista. Se non fosse stato per Gianni Versace, Moschino avrebbe proseguito la carriera artistica avviata con gli studi accademici svolti a Brera; disegna le prime collezioni di Jenny, nel '77 diventa designer per Cadette – storico brand italiano – e nell'83 fonda la sua Maison. I suoi vestiti sono ibridi carichi di humour che dichiarano con voluta ingenuità i parossismi e le esagerazioni del fashion system anni '80: gonne fatte di cravatte, scritte irriverenti e giochi di trompe-l'oeil su maglie e T-shirt, perfetti tailleur Chanel rivisitati con eliche al posto dei bottoni. Uno stile irrefrenabile basato su forme classiche ben studiate e tagli sartoriali definiti che gli regalano il successo.

La donna immaginata da Anna Molinari (Carpi, 1958) per la linea **Blumarine** è una fanciulla in fiore ad alto tasso erotico: avvolta da evanescenti abitini sottoveste di chiffon di seta pastello o da micro cardigan in maglia tinta ice cream con collo in visone, è capace di stimolare fantasie eccitanti e proibite. La signora Molinari è di Carpi, regno della maglieria: figlia di industriali tessili, il passo verso il prêt-à-porter è breve. Così il logo Blumarine ricamato in strass sulla mitica T-shirt blu in jersey a manica corta diventa un capo icona dall'appeal quasi rock.

Quando una testata come il *NEW YORK TIMES* la definì "Regina del cashmere", per **Laura Biagiotti** (Roma, 1943) fu la consacrazione di una carriera dedicata alla ricerca e alla lavorazione delle materie più nobili: lino, seta, lana vergine, taffetà e, appunto, cashmere. La donna Biagiotti è sempre romantica e femminile, un cigno bianco avvolto morbidamente su se stesso. Figlia d'arte, assorbe dalla madre – proprietaria di un noto atelier romano negli anni '60 – il gusto e l'eleganza della couture francese; nel '72 acquisisce il maglificio Mc Pherson e da lì comincia a sperimentare le potenzialità di un tessuto fino ad allora utilizzato solo per capi classici e maschili. A renderla riconoscibile a livello internazionale furono le sue creazioni bianche in estremo contrasto con le "rosse" passerelle della Cina dell'88 e del Cremlino.

Sono corpi scolpiti, o meglio, corpi scultura quelli che veste **Azzedine Alaïa** (Tunisi, 1940), stilista franco-tunisino approdato a Parigi nel '57. Un artigiano della moda che declina la sua passione per le Beaux Arts in abiti tridimensionali: dai materiali alle lavorazioni e alle forme, ogni suo capo tende a esaltare le linee seducenti della schiena e del fondoschiena, baricentri della seduzione femminile. Utilizza materiali malleabili ma fascianti come la lycra, la maglia e

Etro

....

Nata nel 1968 con la
produzione di raffinati tessuti
per arredamento, la Maison
Etro agli inizi degli anni '80
debutta nella moda per volontà
di **Gerolamo Etro**, detto Gimmo
(Milano, 1940), che reinterpreta
in fantasiose varianti il
tradizionale disegno indiano
Paisley. Questo diventa il segno
inconfondibile dell'azienda. La
prima boutique viene inagurata
in via Bigli a Milano nel
1983 e offre biancheria per la
casa, plaid, piumoni, tappeti,
foulard, scialli, cravatte e
anche pelletteria grazie a una
nuova tecnica di finissaggio
che permette di riprodurre
la fantasia simbolo della
Masion. La nuova generazione,
capeggiata dal figlio creativo
Kean, dà vita alla moda donna e
uomo apprezzatissima in tutto
il mondo, una linea prêt-à-
porter di lusso, molto raffinata
grazie anche all'uso di tessuti
ricercati.

il cotone stretch; le giacche, i tubini e le gonne sono traforati al laser e percorsi da cerniere lampo dall'aria sportiva; a tutto questo abbina cinture bustier e guanti in cuoio borchiato per conferire a ogni mise un sex appeal indiscutibile.

Le forme iperfemminili di Alaïa ispirano il lavoro di **Hervé Léger** (Bapaume, 1957), stilista francese che approda alla moda dal mondo della conceria. Affianca Lagerfeld da Fendi e da Chanel, ma la sua ricerca personale è tutta tesa alla costruzione di capi ispirati all'underwear: abiti resi aderenti e seduttivi grazie all'uso di tecniche e materiali derivati dal mondo dell'intimo: reti e tulle stretch per fodere e corpetti, strisce elastiche fatte di maglia per fasciare il corpo. La donna di Léger sembra un prototipo da laboratorio anatomico, così sexy, così impeccabile.

Proporzioni perfette e struttura "*body conscious*" per gli abiti immaginifici e teatrali di **Thierry Mugler** (Strasburgo, 1948). Nonostante certe volute esagerazioni, le sue silhouette rispondono sempre alla formula spalle larghe-vita stretta-fianco segnato. Poco importa se le fonti d'ispirazione sono il mondo circense, le carrozzerie cromate delle automobili americane degli anni '70 o la Hollywood mirabolante di Edith Head: tanta la maestria che riesce a diventare persino il sarto ufficiale di una Première Dame conservatrice come Danielle Mitterrand.

Le linee femminili di **Claude Montana** (Parigi, 1949)

sono energiche, scultoree, a tratti aggressive. Stilista francese di composite origini ispanico-germaniche che riflettono sulle sue creazioni un carattere asciutto, spigoloso ma sofisticato a tal punto da vedersi insignito dall'Oscar della moda nel 1986. Montana lavora sulla silhouette partendo dalle spalle – sempre esagerate – modulandole in abiti che sono corazze di leggerissima pelle e maglia, in mantelli a spirale e colli a sciarpa. Benché la sua prima sfilata avesse fatto storcere qualche naso (il mondo non era ancora pronto agli shorts e ai gilet in pelle nera tempestati di catene di metallo) i look proposti diventano vere e proprie divise (da ausiliaria tedesca!) per le ragazze dell'epoca.

Il folklore allegro e opulento della cultura mediterranea, la sensualità dei costumi della Provenza, la teatralità "gitana" e la musicalità delle popolazioni del sud della Francia sono gli ingredienti delle creazioni di **Christian Lacroix** (Arles, 1951). La sua è una moda controcorrente, fuori dagli schemi, ma proprio per questo eccezionale. Nato ad Arles, incomincia la sua carriera da stilista assistendo Guy Paulin da Hermés nel suo atelier parigino. Nel 1981 si trasferisce presso la Maison Patou, elaborando nuovi codici stilistici per la Haute Couture. La sua prima collezione di prêt-à-porter sfila pochi anni dopo e ne conseguono diverse linee: Luxe, Couture, Bazar, Jeans. Oggi la Maison ha chiuso i battenti, ma Lacroix rimarrà sempre il marchio più picaresco nel panorama della moda.

Dalle sfilate di **Calvin Klein** (New York, 1942) la moda spettacolo è bandita: i suoi vestiti puntano sulla praticità, sull'eleganza fatta di armonie tra i colori sfumati, tagli spogli ma dolcemente impeccabili e accostamenti di tessuti preziosi come il crêpe de Chine, sete e velluti.

Una sofisticazione che però non esclude il forte sapore erotico delle sue celeberrime campagne per la linea Jeans K e l'underwear: prima una giovanissima Brooke Shields e successivamente un'altrettanto giovane e sensuale Kate Moss furono le protagoniste di foto che hanno fatto storia e scandalo nella "*always politically correct*" America.

Non si può dire America senza dire **Donna Karan** (New York, 1948). Alla base del suo stile il nero, un colore come una tela che si presta a essere dipinta; il body, un indumento rubato alla lingerie, ma che proposto in tessuti stretch e fascianti, diviene il capo più versatile del guardaroba anni '80. Le linee che disegna Donna Karan sono avvolgenti e drappeggiate per accentuare le forme e nascondere i piccoli difetti; i tessuti che predilige sono il jersey e il cashmere setoso per stimolare i sensi. La stilista disegna abiti per una donna dinamica, essenziale ma raffinata. Una vera American Power Girl.

Max Mara

....

L'azienda italiana che anticipa il prêt-à-porter in un'epoca in cui la moda è intesa solo come attività artigianale è **MaxMara**, *fondata nel 1951 da Achille Maramotti (Reggio Emilia, 1927). Il design elegante e l'ottimo rapporto qualità-prezzo fanno di questo marchio il leader nell'abbigliamento femminile. Grande intuito e spirito innovativo ne caratterizzano lo stile: linee moderne e tessuti pregiati creano abiti eleganti per una donna sempre chic in ogni momento della giornata. Nel 1986 nasce* **MAX&Co.**, *dedicato alle donne più giovani e caratterizzato da uno stile creativo e glam.*

Gianni Versace

....

C'è un protagonista purosangue italiano che chiude gli anni '80 e attraversa gli anni '90: è lo stilista **Gianni Versace** (Reggio Calabria, 1946-1997). La sua direzione stilistica è volta a coniugare la moda sportiva a quella elegante, la maschile alla femminile, puntando sulla fisicità "neoclassica" dei corpi per delineare uno stile audace da esportare nel mondo. Geniale nel disegno delle linee, sempre attento ai suggerimenti provenienti dalla moda giovanile e dall'arte, esalta la bellezza e la sensualità delle donne anche utilizzando e accostando tessuti e materiali: jersey, glitter, paillettes, tessuti fascianti, sete, drappeggi, pelle, cotte metalliche e gomma. Abiti scollati dai ricchi panneggi che segnano i corpi delle sue supermodelle in passerella: bellezze mitologiche, dee ieratiche dallo sguardo affilato e disarmante di tante "Meduse".

1990–1999

....

Minimalismo e nero, i protagonisti delle nuove collezioni

Scacco matto all'opulenza degli anni '80: l'ultimo decennio del XX secolo impone il minimalismo. Un trend votato all'essenzialità e semplicità, che rinnega lo sfarzo e l'esagerazione degli Eighties: uno stile minimo, unisex, androgino. Gli stilisti da Milano a New York confezionano abiti con linee sobrie, un prêt-à-porter quotidiano e candidamente sexy. Di pari passo con il minimalismo si fa sentire la corrente decostruttivista che elegge il nero a colore "non colore", principe della produzione di abiti oversize o striminziti, con orli diseguali, cuciture visibili e tagli. Largo alle collezioni ispirate al mondo dei giovani, allo streetstyle e alle nuove tecnologie anche nei tessuti, con un uso massiccio dello stretch e del tessuto tecnico, senza dimenticare lo stile classico con accenni alle forme Sixties e Seventies.
È **Miuccia Prada** (Milano, 1948) la mente creativa dell'omonima Maison italiana che definisce lo stile nazionale degli anni '90. Genio creativo e imprenditoriale, Miuccia ricerca instancabilmente l'innovazione, sperimentando nuove silhouette e coniugando arte e moda (vedi foto). Nel 1993 fonda il marchio Miu Miu portando il gruppo a una rivoluzione creativa del prêt-à-porter che lo renderà ancora più popolare.
L'oriente e la fascinazione per le sue atmosfere languide e lussureg-

gianti caratterizzano il lavoro di un altro stilista italiano che entra prepotentemente nella scena della moda degli anni '90: **Romeo Gigli** (Castelbolognese, 1949). Egli si concentra su linee avvolgenti e comode, colorazioni vegetali, tonalità del verde, dell'ocra e del brown. Adora ricamare le sete preziose con fregi e decorazioni creando mix sapienti di culture e ispirazioni etniche.

La tedesca **Jil Sander** (Wesselburen, 1943) incarna perfettamente il profilo dello stilista anni '90. Si ispira apertamente a Coco Chanel, a uno stile puro e definito: i suoi abiti sono – come dice lei stessa – "tagliati con il coltello". Crea capi basati sul binomio cromatico bianco/nero, quasi unisex, per modelle pallide, skinny ma dotate di sensualità androgina. Nel 1985 disegna le borse in fine nylon senza etichetta che diventano la "punta di diamante delle donne di tutto il mondo".

L'austriaco **Helmuth Lang** (Vienna, 1956) inizia giovanissimo la sua attività sartoriale aprendo una boutique a Vienna di abiti su misura nel 1977. Negli anni la sua fama cresce fino a essere riconosciuto come uno dei "minimalisti": capi essenziali dai colori naturali o ridotti al nero assoluto che però nella loro semplicità svelano sempre un tocco originale come una gonna a tubo che s'invirgola in vita, un'enorme riga rossa attraversa un pullover dall'aspetto quasi dimesso.

Il nome francese **Costume National** nasconde origini italiane, il creatore infatti è Ennio Capasa (Lecce, 1960). Formatosi in Giappone, dà vita in Italia a uno stile minimalista dalle linee smilze e aderenti al corpo che lo rendono immediatamente un designer cult.

L'opulenza però non tramonta: lo stilista **Roberto Cavalli** (Firenze, 1940), già noto dagli anni '70, consolida ora il suo *know how* e diventa una vera e propria icona. Affascinato dal mondo selvaggio della na-

Li ricordiamo come i favolosi **Antwerp Six**, i sei di Anversa. Ann Demeulemeester, Dries van Noten, Dirk van Saene, Walter van Beirendonck e Martin Margiela si laureano presso l'Accademia Reale di Anversa e presentano insieme le prime creazioni, conquistandosi subito la fama di giovani selvaggi. Loro intenzione non è quella di creare un look, ma di esplorare l'estetica dell'incompiuto, lavorando strenuamente sul singolo capo. Tale è stata la loro ricerca che hanno rubato lo scettro dell'avanguardia agli stilisti giapponesi e sono diventati negli anni '90 l'avamposto del futuro.

tura, Cavalli ama essere definito artista nella moda, studiando pattern e metodologie di stampa su pelle (ne brevetterà uno tutto suo). Porta sulle passerelle di Palazzo Pitti sete, pellami e jeans in denim stampato e incrostato di applicazioni focalizzandosi su uno stile glamorous. La prima sfilata ufficiale di Cavalli si tiene a Milano nel 1994, dove presenta jeans invecchiati con trattamento a getto di sabbia.

Chi non ricorda la pubblicità ambientata in Sicilia di **Dolce & Gabbana** con protagonista la sensualissima Monica Bellucci? Gli stilisti **Domenico Dolce** (Polizzi, 1958) e **Stefano Gabbana** (Milano, 1962), al contrario di Romeo Gigli, sono decisi a evocare nelle loro creazioni la femminilità quasi arcaica, la forza e le forme della donna mediterranea. Corsetti, camicie bianche, abiti sottoveste e canotte sono i leitmotiv della loro griffe che abbraccia Haute Couture, prêt-à-porter, profumi e accessori e rappresenta durante gli anni '90 un vero e proprio status symbol di eleganza italiana, di life style "lagnuso", languido e pigro come certi pomeriggi siciliani.

"Non vogliamo piacere a tutti, vogliamo esere unici": questa la filosofia del duo stilistico Tiziano Mazzilli con la moglie Louise, creatori del brand **Voyage**. Nel '91 aprono il loro primo negozio a Londra, in Fullham Road, di un'esclusività direttamente proporzionale alla fama della clientela e ai prezzi sulle etichette. Look volutamente trascurato, abiti irripetibili ottenuti da ricercate combinazioni di materiali, decorazioni a mano, lavaggi e tinture. Un etno-chic per bohémienne dai portafogli rigonfi.

Vero architetto della moda è **Gianfranco Ferré** (Legnano, 1944-2007). Dopo essersi laureato proprio in architettura, comincia a disegnare accessori e impermeabili. Fonda la Maison Ferré e la caratteriz-

Le supermodelle

....

Nel lontano 1985, a soli 15 anni, Naomi Campbell viene notata per le strade di Londra da un agente. È la prima modella di colore ad apparire sulla copertina di VOGUE FRANCIA e riesce a catalizzare l'attenzione di stilisti anche molto diversi tra loro come Versace, Ralph Lauren, Dolce & Gabbana, Valentino, Alaïa. Anche Kate Moss ha un esordio prematuro, a 15 anni, quando appare nuda nella campagna di Calvin Klein Jeans. Come lei anche Claudia Schiffer, Cindy Crawford, Eva Herzigova, Linda Evangelista, Nadege, Carla Bruni, Christy Turlington e Helena Christensen attirano sguardi da ogni dove, diventando negli anni '90 protagoniste strapagate della passerella oltre che icone del costume e dello stile di una generazione, star richiestissime nella moda, nella pubblicità, nella televisione e nel cinema ma rimanendo sinonimo di mannequin nell'immaginario collettivo per più di 20 anni.

za con forza, sperimentazione e stile. Diventa nel 1989 il direttore creativo della Maison Christian Dior. Maniaco dei dettagli, delle forme e delle strutture è famoso per le sue camicie scultura realizzate con volant e plissé in bianco ottico, veri e propri strumenti di seduzione. Oggi i direttori creativi sono **Roberto Rimondi** e **Tommaso Aquilano**, designer cool che propongono collezioni in linea con lo stile creato da Ferré.

Filone etno-chic anche per lo stilista Ermanno Daelli e l'imprenditore Toni Scervino che alla fine degli anni '90 cominciano a produrre la linea **Ermanno Scervino** (vedi foto). Il marchio fiorentino diventa famoso per il mix tra couture sartoriale, tecnicità e femminilità. Sono sue le sottovesti esibite, la maglieria lavorata a mano e tinta con coloranti vegetali, i lussuosi piumini con pelli che rendono lo stile wild di Ermanno conosciuto in tutto il mondo.

È **Jean Paul Gaultier** (Arcueil, 1952) a far da contraltare alla ragionevolezza. Enfant Terrible della moda, diretto seguace

dell'estro post-punk alla Vivienne Westwood, Gaultier è lo stilista che più si diver-
te a mescolare stili diversi, a infrangere le
barriere tra maschile e femminile, a creare
scioccanti ma desiderabili variazioni sul
tema. Tra le sue invenzioni feticcio: la
felpa in seta e pizzo, le magliette multiple
stracciate a rivelare parti del corpo, bustini
steccati, corsetti in seta corazzata (Madonna chiese allo stilista di fare i suoi costumi
di scena per la tournée del '90, il *Blond Am-
bition Tour*, vedi foto), reggiseni con ironi-
che coppe a cono da abbinare a composti
smoking o trench severi; e ancora la camicia maschile abbinata ai boxer o i bijoux
fatti di lattine d'alluminio. Sregolatezza e
genio, tanto da riuscire ad adattarsi – ma
senza snaturarsi – al gusto *"bon chic bon
genre"* di una Maison come Hermés, di cui
disegna il prêt-à-porter dal '99. Ama stupi-
re e provocare l'establishment della moda
facendo sfilare anche personaggi insoliti:
anziani, donne in sovrappeso o coperte di
piercing e tatuaggi.

Una seduzione sfacciatamente provocan-
te quella di **Agent Provocateur**. Marchio britannico specializzato nell'un-

derwear e affini, apre il primo monomarca nel '94 proprio a Londra: guidato da Joseph Corré (figlio di Vivienne Westwood, buon sangue non mente!) e dalla stilista Serena Rees, propone collezioni di lingerie tanto raffinata e femminile quanto audace, eccessiva ma ironica.

Negli anni '90 gli accessori di lusso sono della Casa **Fendi** che elabora collezioni apprezzatissime dallo star system internazionale, interpretate sulle passerelle dalle più importanti top model. Una nuova rinascita per lo storico marchio italiano famoso anche per le pellicce di scena realizzate sia per il cinema sia per il teatro.

"Che noia la semplicità! Spesso sono proprio le cose di cattivo gusto le più divertenti." Eccentricità britannica portata alle soglie dell'orrido per **John Galliano** (Gibilterra, 1960), il piccolo e nervoso pirata elisabettiano della moda. Nato a Gibilterra da genitori spagnoli, si trasferisce a Londra per frequentare la prestigiosa Central Saint Martin's School e da lì parte alla conquista di un posto da direttore artistico presso la Maison Dior, succedendo a Ferré. Ama la storia del costume e del folklore, l'arte e il circo: sotto la sua regia ogni sfilata Dior diventa un omaggio pirotecnico a un'epoca, a una tematica, a un sogno. Il corpo della donna si fa mistero e seduzione allo stato puro grazie ai tessuti scivolati, ai drappeggi e agli sbiechi che svelano poco alla volta le forme femminili.

È un lusso rilassato quello proposto dal brand **Marni**, fondato nel 1994 dalla stilista svizzera Consuelo Castiglioni: l'attenzione ai volumi comodi e calati sulla figura femminile, il trattamento dei materiali ricchi deriva da un passato recente nella lavorazione e concia delle pelli. Aggiornato ed evoluto in chiave bohémienne ma cittadina, ironica ma sofisticata, il prodotto creato da Consuelo Castiglioni è sempre vagamente etnico o hippy/floreale, ma iper contemporaneo: combina il grezzo di certi tessuti con la funzionalità del nylon o della plastica.

Ci sono tutti gli ingredienti etnici e culturali della tradizione americana nelle creazioni di **Marc Jacobs** (New York, 1963): diplomato alla Parson's School di New York e insignito per ben due volte del premio di Miglior Studente, Marc diventa nell'89 vicepresidente women's design del brand Perry Ellis. Nel '93 fonda la sua Maison e le atmosfere grunge delle prime collezioni cedono velocemente il posto a linee più sofisticate, vagamente vintage. Dal '97, Jacobs è anche direttore artistico di Louis Vuitton.

Corre l'anno 1990 quando il texano **Tom Ford** (Austin, 1961) viene nominato direttore creativo del marchio Gucci, da anni sull'orlo della bancarotta. In una sola stagione diviene gotha della moda mondiale, proponendo una donna sexy, ammiccante, moderna per un gioco di contrasti tra linee sinuose e silhouette maschili, accessori dalla forte personalità: una decisa ispirazione allo styling Gucci '70 ma tradotto per la contemporaneità. L'identikit Gucci per Tom Ford? Camicie sbottonate di raso di seta sotto a tailleur gessati di linea aderente, maxy pochette, grandi occhiali da sole e... rapide falcate. Nel 2008 Tom decide di intraprendere la propria strada e dedicarsi al mondo maschile del vestito su misura, al lusso intuito ma mai palesato delle stoffe più ricercate, all'eleganza di tagli che vestono i Lord Brummel del XX secolo.

8·69

2000–2010

....

*Moda e star system,
connubio per uno stile esplosivo*

L'arrivo del nuovo millennio coincide con lo sbarco delle celebrity nel mondo della moda. Dimenticate minimalismo, top model e rigore. L'universo del fashion reagisce alle crisi economiche e politiche con una rinascita del lusso proponendo dei modelli per novelle suffragette dell'esclusività.

Se il primo quinquennio degli anni 2000 offre un'immagine che guarda ai Seventies con cappotti militari, gilet asimmetrici, pantaloni a zampa d'elefante e scarpe a punta, negli ultimi anni il look fa ritorno alle linee classiche, esplode il vintage style (dagli anni '30 alle pin-up al preppy) e lo street glamorous.

All'alba dei 2000 i guru della musica, le star del cinema e le hit girl, già grande fonte di ispirazione, diventano protagonisti ed entrano nella industry. Un esempio è Kanye West, rapper americano icona dello stile dandy street, che collabora con i creative director della Maison francese Louis Vuitton.

Star come Madonna, Victoria Beckham, Rihanna e Sienna Miller non diventano solo testimonial, ma vere e proprie designer dando il loro contributo alla moda con creatività, stile e innovazione. Proprio la regina del pop, Madonna, si legherà a uno dei più famosi e importanti designer americani, Marc Jacobs. Adorato negli Usa per la sua immagine commerciale e personale, disegna abiti e accessori di alta classe che sanno interpretare perfettamente le necessità dell'animale chic- urbano del nuovo millennio. Le sue borse sono un must per tutte le eredi di Sarah Jessica Parker, l'attrice di *Sex and the City*, telefilm cult di una New York glamour e scanzonata. Più del connubio Madonna-Marc Jacobs, l'eccezionale esempio dell'alleanza tra showbiz e moda degli anni Zero è Lady Gaga (vedi foto): infatti, stilisti come Alexander McQueen e Jean Paul Gaultier insieme a direttori creativi come Nicola Formichetti creano per lei outfit esagerati, assurdi, fuori dagli schemi e trasgressivi, fonte di ispirazione per tutto il mondo della creatività.

In questi anni, grandi gruppi come **Zara**, **H&M** e **Accessorize** hanno stravolto il concetto di moda inaccessibile: finalmente vestiti e accessori al passo con i tempi, collezioni fresche, giovani e... per tutti i portafogli.

Una nuova dimensione per gli accessori

....

Sinonimi della moda: alla voce lusso si legge tutto d'un fiato borsa, borsetta, pochette, clutch... e ancora, sandali, boots, décolleté, zeppe, kitten heels, ankle boots, stiletti. Tante le Maison del settore impegnate nella realizzazione di queste chimere femminili. Rinomato per la qualità del suo artigianato e per il fascino del suo discreto design no-logo, **Bottega Veneta** apre il suo atelier negli anni '60 e sviluppa una peculiare tecnica di lavorazione della pelle, l'intrecciato, ancora marchio di fabbrica dell'azienda. "*When Your Own Initials Are Enough*" è il claim che contraddistingue il marchio veneto che si afferma anche a livello internazionale tanto da diventare il soggetto per un cortometraggio di Andy Warhol. Durante gli anni Zero, il marchio torna alle origini dell'intrecciato grazie al nuovo creative director Tomas Maier che fa dell'artigianalità il punto di forza per la Bottega del nuovo millennio.

Dalle teenager alle donne in carriera, alle star di musica e cinema uno dei desideri più ardenti è acquistare un bauletto o una Spee-

dy targata **Louis Vuitton**. Nato come bottega artigianale di valigeria per la ricca società agli inizi dell'800, è oggi una multinazionale
del lusso che produce ogni anno milioni di accessori di pelletteria
diventati ricercatissimi oggetti di culto. Celebre la texture Mo-
nogram Canvas nella quale l'elemento principale sono le iniziali
dell'imprenditore francese: firmano borse, borsoni, Bowling Bag e
Petit Bucket. Nel 1998 LV entra nel prêt-à-porter grazie alla direzione artistica di Marc Jacobs e abbraccia collaborazioni trasversali
con esponenti del settore artistico (Murakami), musicale (Pharrell
Williams, Kanye West) e cinematografico (Sofia Coppola).
Un'altra grande Maison francese è l'atelier calzaturiero fondato da
Christian Louboutin (Parigi, 1964). Artefice del ritorno negli anni
'90 dello stiletto, diventa profeta del tacco 12. Celebre per le sue calzature gioiello che chiama amorevolmente per nome, riesce ad affascinare molte dimensioni: quella del lusso elitario, lo star system e persino le frange dello stile più underground, il new burlesque e il fetish.
Oltre alle famose suole rosse, ha portato nelle sue boutique collezioni
di borse, altrettanto pregiate e sopra le righe, da abbinare alle scarpe.
Altro sogno proibito sono i costosissimi sandali firmati **Manolo
Blahnik** (Santa Cruz de La Palma, 1942). Vero e proprio artista
delle calzature, sempre alla ricerca dell'estetica perfetta, lo stilista
spagnolo è prolifico realizzatore di creazioni dai tacchi vertiginosi,
dettagli affascinanti e maniacali, tanto da essere esposte al Metro-
politan Museum di New York. Idolatrato da stilisti e collezionisti,
celeberrimo per il modello Brique del 1971 (zoccolo con suola di
mattone e fascia colorata), è noto al grande pubblico grazie alla serie SEX & THE CITY, di cui è quasi il quinto protagonista.

Quale donna non è mai stata tentata da uno stiletto? Ebbene, il padre della calzatura sinonimo di femminilità e sensualità è lo stilista francese **Roger Vivier** (Parigi, 1907-1998): abile innovatore, ha saputo riscoprire le forme antiche e adattarle al ritmo mutevole della modernità. Scultore della scarpa, nel 1954 inventa per Catherine Deneuve la décolleté, perfetta per calzata ed equilibri, poi ribattezzata con il nome del film in cui l'attrice la indossò, *BELLE DE JOUR*. Nei primi anni 2000 la griffe viene rilevata dal gruppo Della Valle che affida la direzione creativa a Bruno Frisoni, posizionandosi così come atelier di calzature Haute Couture.

Materiali preziosi e lavorazioni artigianali sono il segreto di **René Caovilla** (Fiesso d'Artico, 1938), definito il Cellini della scarpa. Celebre per il sandalo-serpente, collabora da anni con le Maison Valentino, Dior e Chanel.

Uno stile prezioso ed elegante quello di **Jimmy Choo** (Penang, 1961), nei sogni di molte soprattutto per i sandali con tacchi vertiginosi ed esili, decorati con cristalli e paillettes.

Scarpe gioiello anche per **Giuseppe Zanotti** (San Mauro Pascoli, 1958) che disegna per le maggiori Maison, senza però perdere il gusto per l'artigianalità e una vocazione rock'n'roll.

74·75

I Direttori Artistici
....

La determinazione dello stile e lo sviluppo della moda è da afferirsi ai direttori artistici dei grandi marchi Haute Couture e prêt-à-porter.

Karl Lagerfeld (Amburgo, 1933) per Chanel è una certezza: dal 1954 detiene una sorta di copyright sullo stile iper lussuoso e trasporta la Maison di Coco verso l'innovazione e lo star system (vedi foto).

Nato a Casablanca da genitori israeliani immigrati, **Albert Elbaz** (Casablanca, 1961) comincia la sua avventura nel mondo della moda trasferendosi a New York. Nella grande mela lavora per Geoffrey Beene che lo influenza nella tecnica del drappeggio, nei volumi e nel fit, dopodiché continua la sua carriera da Lanvin, femminilizzando agli estremi il carattere proprio della Maison francese ma pur sempre mantenendo forti richiami agli anni '20.

Fautore del rilancio di Givenchy è **Riccardo Tisci** (Taranto, 1975), giovane designer italiano: caratterizzato da uno stile di ricercata sensualità con cenni all'immaginario gotico e modern romantic, Tisci ama molto riproporre simbologie art déco e tribali.

Antonio Marras (Alghero, 1961), fedele alle sue origini sarde, mixa tradizione e semplicità nella ricchezza di pattern e stampe elaborate. Il suo estro creativo e la sua unicità lo portano alla direzione stilistica del marchio Kenzo.

Nicolas Ghesquière (Comines, 1971) entra giovanissimo in Balenciaga e rivolta la famosa casa di moda come un calzino. Grande conoscitore della tradizione e degli archivi della Maison, Ghesquière interpreta il futuro mescolando science fiction e forme organiche. Raffinata aggressività e stupefacente inventiva si ritrovano in

Christophe Decarnin (Le Touque, 1964) che per Balmain disegna una donna esuberante, rock ma sensibilmente moderna.

Designer, comunicatore e stratega del marketing, **Christopher Bailey** (Yorkshire, 1971) è diventato sinonimo di Burberry portando avanti la tradizione e lo stile sempre classico, ma con un occhio all'evoluzione.

Assistente di Stella McCartney in Chloé, **Phoebe Philo** (Parigi, 1973) diventa nel 2008 il creative director di Celine: qui Phoebe esprime la sua visione sul fashion design "epurato", proponendo uno sport chic ipermoderno, quasi Haute Couture.

Cerruti, Armani e Prada lo avrebbero voluto nella loro scuderia ma **Stefano Pilati** (Milano, 1965) è fedele a Yves Saint Laurent, Maison per la quale esprime appieno il suo talento visionario, metafisico ma fedele alla tradizione, con rigore e sartorialità.

Addio allo stile da ragazzina e un sano benvenuto all'autentica femminilità. Così **Peter Copping** (Londra, 1967) reinventa lo stile di Nina Ricci insistendo sulla qualità dei tessuti, sulla vestibilità e la storicità elegante, mentre **Hannah McGibbon** per Chloé porta avanti il lavoro della sua madrina Phoebe Philo attestandosi su uno stile chic rilassato.

Scomparso
recentemente
Alexander McQueen
(Londra, 1969-2010)
incarna l'identikit
perfetto del designer
del nuovo millennio.
Irrefrenabile
per creatività
e volontà, diventa
a soli ventitré anni
direttore creativo
di Givenchy, per poi
concentrarsi sul suo
personale marchio.
Vero e proprio
hooligan delle
passerelle provoca
la fashion industry
con collezioni
visionarie e oniriche
capaci di affascinare
star come Lady
Gaga, promotrice
funambolica
delle incredibili
Armadillo Shoes.

Victoria Beckham acquista solo **Giambattista Valli** (Roma, 1966), stilista quasi démodé che sembra non seguire i grandi filoni del fashion trend, piuttosto la sua moda se la fa da sé e lo dimostra con collezioni senza tempo, disegnate con un'abilità sartoriale con pochi competitori e una precisione stilistica impressionante. La linea è pulita e fortemente estetica, particolare ma non esagerata, di classe ed estremamente elegante.

Fenomeno da indagare quello del marchio di abbigliamento e accessori **Rodarte**: creato dalle sorelle statunitensi **Kate** (Passadena, 1979) e **Laura** (Passadena, 1980) **Mulleavy**, ha riscosso attenzione subito dopo che una collezione di appena 10 capi è stata presentata direttamente ad Anna Wintour. Innovative, futuriste, giocano con i tessuti e le forme per creare collezioni uniche e icastiche, tanto da essere esposte al MoMa di New York.

Albino D'Amato (Roma, 1973) nasce come designer industriale, ma riesce poi a dedicarsi alla sua vera passione, la moda. Collabora con Ungaro, Pucci, Dolce&Gabbana e Armani, lavorando intanto alla sua linea personale, che presenta al Who's Next. Nelle sue collezioni coniuga volumi, tessuti d'ispirazione couture (Jean Patou e Givenchy anni '50 e '60) e citazioni cinematografiche (Fellini e Truffaut in primis) con tecniche di realizzazione e di decostruzione.

Gabriele Colangelo (Milano, 1975) è uno dei nuovi designer più talentuosi nel panorama internazionale. Vince un concorso della Camera Nazionale della Moda, a cui arriva per caso, ancora studente di lettere classiche, un curioso e insolito mix. Da lì l'ascesa:

disegna Versace Jeans, poi Just Cavalli Donna fino ad arrivare al suo brand, complice una capsule collection di pellicce con piccoli lavori di ricamo.

Nel 2000 un giovanissimo **Francesco Scognamiglio** (Pompei, 1975) esordisce nell'alta moda a Palazzo Barberini con una collezione ispirata agli anni '80 che segna il suo successo. Nel 2008 Madonna porta oltreoceano il marchio indossando i suoi abiti nel video *GIVE IT 2 ME*.

Irriverente, **Thom Browne** (Allentown, 1965) disegna dal 2008 la collezione uomo di Moncler Gamme Bleu.

Paul Smith (Beeston, 1946) è un fashion designer dal riconoscibilissimo pattern a righe che spunta nei punti più impensabili dei suoi capi: grande humour e un pizzico di provocazione lo rendono unico e molto inglese.

Le dive e l'alta società americana scelgono di sposarsi con un abito di **Vera Wang** (New York, 1949) o di presentarsi sul red carpet con un capo firmato **Marchesa** (marchio ispirato alla Marchesa Luisa Casati e fondato da Georgina Chapman e Keren Craig) dal gusto vintage con influenze orientale.

Raf Simons (Neerpelt, 1968) combina linee classiche con quelle più streetwear e il suo stile piace molto, tanto che nel 2005 diventa direttore creativo di Jil Sander.

L'inglese **John Richmond** (Manchester, 1960) crea il suo marchio a metà anni '80 ma raggiunge l'apice nel 2003-2004 con una collezione streetwear amata dai giovani il cui pezzo cult sono dei jeans a vita bassa con la scritta "Rich" stampata sul retro.

"Ho usato il neon per far sì che la mia collezione risultasse più luminosa possibile", esordisce così **Christopher Kane** (Glasgow, 1982) al lancio della sua prima "creatura". Talento inglese fresco di diploma presso la Saint Martins, fonda la sua "own label" dall'appeal underground, ricca di stampe e trovate grafiche. Di lui si accorgono Lancôme, Swarovski e Manolo Blahnik con cui collabora tuttora.

I gemelli **Dean** e **Dan Caten** (Toronto, 1964) hanno dato vita al marchio pratico e giovane **Dsquared**, famoso in tutto il mondo e amato da dive come Madonna e Britney Spears che si sono persino fatte disegnare abiti per le loro tournée mondiali.

Victor Horsting (Geldrop, 1969) e **Rolf Snoeren** (Dongen, 1969) fondano nel 1993 il marchio **Victor & Rolf** dalle linee decostruttive. La loro notorietà presso il grande pubblico è cresciuta dopo che hanno fatto una collezione per H&M nel 2006 che è andata a ruba.

Linee mascoline, tessuti morbidi, sovrapposizioni e trasparenze sono i punti di forza di **Alexander Wang** (San Francisco, 1984), che, dopo la sua collezione autunno 2008 con predominanza di nero, ha stupito tutti con quella successiva usando colori decisamente forti: "Volevano il colore, ecco il colore!" ha esclamato Wang, sempre al passo con i tempi.

Un lusso elegante ma semplice e adatto a tutte le età contraddistingue lo stile classico di **Tori Burtch** (Valley Forge, 1966), famosa per aver trasformato la T-shirt in un capo fashion e aver vestito le protagoniste della serie tv *Gossip Girl*.

Derek Lam (San Francisco, 1967), direttore creativo di Tod's, ha una sua collezione dalle linee lisce e setose che vestono con garbo ed eleganza.

Joseph Altuzarra, nato a Parigi da padre francese e madre americana, fonde l'Haute couture francese con l'avanguardia newyorkese nei suoi abiti moderni e pratici per la donna che lavora tutti i giorni e ama essere impeccabile ma non ingessata.

In territorio inglese, **Giles Deacon** (Darlington, 1969) firma uno stile ironico, dark e sexy che si rifà alla cultura pop e che si rivolge a donne di tutte le età (dice lui!).

Giovane e già famoso e richiestissimo è **Jason Wu** (Taipei, 1982) che, dopo aver dato vita a una linea di vestiti per bambole, oggi è uno dei designer più apprezzati dalla First Lady americana Michelle Obama che ha indossato un suo abito di chiffon candido per la sera del ballo inaugurale alla Casa Bianca.

Michelle Obama apprezza molto anche lo stile di **Takoon** dalle linee morbide e tessuti ricercati.

L'altissima ex modella **L'wren Scott** (Utah, 1967), oggi è una stilista ricercatissima dalle stelle del cinema americano come Nicole Kidman, Sarah Jessica Parker e dall'indiscussa icona di stile Madonna. Attenta ai dettagli ricercati, ama valorizzare la femminilità delle sue clienti.

Ma come ti vesti per quell'occasione?

Ogni stoffa ha il suo momento: consigli e trucchi per non sbagliare mai look

Il colloquio di lavoro

....

La prima impressione è quella che conta, non dimenticartelo mai! Con il look comunichi te stessa, prima ancora di parlare. Ecco dei piccoli segreti: se la posizione per la quale ti candidi è in ambiente formale (ufficio, segreteria di direzione, banca, receptionist) l'abbinamento giacca, camicia bianca e pantalone maschile – rigorosamente con il tacco – è perfetto. Se invece l'area di candidatura è più creativa (negozio, contatto con la clientela, ufficio grafico, azienda fashion, laboratorio artigianale) allora sostituisci giacca e camicia con un pullover e/o una t-shirt e un accessorio glam, sarai stilosa!

Un piccolo consiglio: mettetevi due gocce di profumo non troppo intenso ma avvolgente e sfoggiate una bella agenda dall'aria molto vissuta!

1 **OCCHIO DI PERNICE** *Presenta piccoli disegni tondeggianti in contrasto bianco e nero ottenuti dal gioco di trama e due fili di ordito. Ideale per pantaloni, abiti e giacche.*

....

FLANELLA PETTINATA STRETCH *Intramontabile tessuto maschile liscio e soffice, si trova dal grigio chiarissimo all'antracite. Adatta per abiti, pantaloni e giacche.*

....

DISEGNO CRAVATTA *Grafici e geometrici, sono fantasie jacquard che prendono ispirazione dalla cravatteria maschile.*

....

2 **MICRO PIED DE POULE** *Ricorda il disegno di una scacchiera, e il nome deriva dall'impronta lasciata dal pollo sul terriccio. Si trova in lana e in cotone e si presta a occasioni sportive e country. Va bene per le camicie.*

....

MAGLIA IN CASHMERE *Filato pregiato in pura lana finissima, proveniente dalla capra del Kashmir, è leggerissimo e caldo. Il colore più popolare è il kashà, un beige mélange. Ideale per cardigan e pullover.*

....

1

2

La convention con i clienti

....

La convention
è un importante evento
professionale
in cui ti metti in mostra
e lo stile deve essere
all'altezza e non fuori
luogo. Tuttavia,
l'uso sapiente di
accessori può evidenziare
alcune tue caratteristiche
che possono rendere
personale
anche il look un po'
austero.

Sei etno-chic? Tanti bracciali bangles. Ti senti classica? Perle e bracciali Tiffany. O sei più fashion? Scegli la borsa a tracolla. Romantica è la tua categoria? Allora cerchietti e fiocchi fanno per te.

CHANEL IN LANA *Tessuto a lavorazione di trama e ordito con filati grossi e irregolari creato da Madame Coco che studiò un tessuto simil maglia irregolare per tailleur, gonne e abiti.*

....

1 .... **PIZZO LEAVERS** *Il più sofisticato tra i pizzi francesi per la lavorazione raffinata, prende il nome dai macchinari con cui viene realizzato. Per camicie e bluse.*

....

CRÊPE LANA STRETCH *Tessuto in lana dall'aspetto increspato. La versione più pesante si chiama crêpe marocain. Adatto a tailleur, abiti, pantaloni e gonne.*

....

2 .... **TASMANIA** *Lana pregiata con cui si realizzano tessuti di ottima qualità, ingualcibili e adatti a tailleur, abiti, pantaloni e gonne per la primavera-estate.*

....

MAGLIERIA IN PIZZO *Estremamente femminile il disegno classico del pizzo reinterpretato in maglia. I filati sono in mohair, angora o lana seta crêpe.*

....

Il primo appuntamento

....

Curiosità, fibrillazioni, emozioni e scoperta reciproca! Data l'agitazione generale è importante che tu sia rilassata, a tuo agio e bellissima, e il tuo look può fare molto. Scegli materiali femminili come il creponne e il lurex per bluse e gonne: ti faranno sentire femminile e molto intrigante.

.... 1

Non scegliere un outfit che non ti rispecchi, o che hai visto su qualche rivista patinata, giusto per fare colpo su di lui. In fondo basterebbero pochi altri incontri per smascherarti! Opta piuttosto per un abito super collaudato e prepara con cura la tua mini pochette: mascara waterproof, gloss, fazzolettino in tessuto e una carta di credito: non si sa mai, potresti accorgerti che il tuo lui non fa proprio per te e, dopo aver trovato una scusa per scappare, dover prendere un taxi all'improvviso!

....

LUREX *Tessuto realizzato con filati metallici che conferiscono alla superficie un aspetto luminoso. Adatto a bluse e camicie.*

....

CRÊPONNE DI LINO *Tessuto a superficie increspata, elastico e ingualcibile, viene usato per bluse, abiti e camicie.*

....

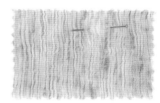

1 ....**REPS STAMPATO IN VISCOSA SETA** *Tessuto in viscosa seta stampato a fiori e righe con superficie a rilievi orizzontali, ideale per gonne, abiti e bluse.*

....

SHANTUNG SETA *Ideale per eventi e cerimonie, si presenta con una superficie brillante e irregolare. Per giacche, pantaloni e abiti.*

....

MADRAS IN SETA *Seta a disegni scozzesi su base leggerissima, adatta per pantaloni, trench, gonne e abiti.*

....

Un cocktail con le amiche

1

Il cocktail o l'aperitivo
con le amiche
è diventato un vero evento,
un'occasione
per incontrarsi e magari
fare nuovi interessanti
incontri. Un trucco: cerca
di non perdere
il tuo stile omologandoti
alle tendenze del momento
e alle tue amiche.
Solo così ti noteranno!

Vuoi provare i capelli mossi? Questo è il momento giusto: il riccio è di tendenza se sei wild o hippy chic! Hai quell'aria bon chic bon genre ma intrigante? Scegli un trucco naturale per occhi e labbra, con mascara e lipstick invisibile. Se ti senti aggressiva, prova con scolli e trasparenze. Insomma, con le amiche puoi osare: saranno la miglior giuria.

1 ···· **TULLE RICAMATO CON PAIL-
LETTES** *Rado e vaporoso, è usato
tradizionalmente per il balletto. Si
trova ricamato di paillettes all over
ed è perfetto per stole e gonne.*

....

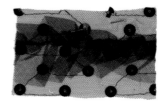

JERSEY LUREX ARGENTO *Tessuto a maglia di jersey fluido e in
filato lurex. Adatto per realizzare
T-shirt e abiti di linea scivolata.*

....

STAMPA ANIMALIER *Si defini-
scono animalier o animal print le
fantasie che riproducono il pelo di
zebra, tigre, ghepardo, leopardo, o
la pelle di rettili come pitone e coccodrillo. Perfetto per gonne, abiti
e camicie.*

....

RASO COTONE STRETCH *Tessuto con armatura di superficie
a briglie lunghe che conferisce
brillantezza al tessuto, anche se
realizzato in cotone. La stoffa è di-
sponibile ferma o elasticizzata. Per
pantaloni, giacche, gonne e abiti.*

....

TULLE STRETCH *Tessuto rado e
vaporoso in versione elasticizzata
indicato per T-shirt e abiti.*

....

Il vernissage d'arte contemporanea

....

1

Il nero è il must per questo tipo di evento: non sbaglierai di certo! E se vuoi distinguerti, indossa un gioiello di design un po' appariscente, come una collana a cerchio con un grosso ciondolo, un vistoso bracciale alla schiava o degli orecchini chandelier che ti illuminano il viso. E poi scegli con cura la borsa che deve assolutamente essere particolare e trendy, con gusto!

Il vernissage è un evento molto fashion, per questo si deve attirare l'attenzione con tessuti particolari e tagli unici.
In questa occasione, allora, perché non tentare il nuovo?
Puoi provare con tessuti sperimentali: i leggings in materiale laserato saranno perfetti per l'occasione. Ma anche il trench in cirè, magari con bavero alzato, che ti farà sembrare una spia in missione speciale!

CIRÉ *Tessuto leggero dalla superficie spalmata lucida, è adatto per trench e blouson.*

....

FULL PAILLETTES *Tessuto di base jersey con ricamo in paillettes che ricopre completamente la superficie. Ideale per un top glamour che dona luce al viso.*

....

NAPPA *Pelle morbida e vellutata dalla mano leggerissima adatta a lavorazioni speciali come plissettature e intrecci. Perfetto per chiodo, blazer, gonna e pantaloni.*

....

1·····**LASER** *Tecnica di tagli a computer su base di tessuto di poliestere. Ideale per trench e pantaloni.*

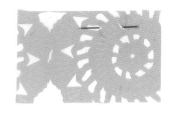

....

NYLON TRAPUNTATO E STAMPATO *Tessuto in nylon con effetti di stampa geometrica all over che si vedono mentre ci si muove. Adatto a trench e bluson.*

....

Il ballo
delle debuttanti

1

La tradizione prevedeva che l'abito fosse bianco (in tutte le sue nuance) e lungo. Però oggi i colori spaziano dal rosa all'albicocca al fucsia e l'abito può essere anche corto. Un consiglio: non strafare mai per volere sembrare adulta a tutti i costi, usa un trucco naturale e raccogliti i capelli in modo semplice, morbido e romantico. Così sprigionerai tutta la meravigliosa freschezza dei tuoi 18 anni. Ricordati di indossare una coroncina o una tiara solo se di famiglia, altrimenti i gioielli sono banditi: l'unica stella sei tu!

Se decidi che la festa proseguirà per molte ore, dal tramonto sino a notte fonda, potrai osare un cambio d'abito e il secondo, indossato dalle 22,00 in poi, potrà essere leggermente più spregiudicato e audace: ti ammireranno tutti molto, e ti guarderanno anche con un pizzico di invidia.

TULLE IN COTONE Tessuto a trama rada molto vaporoso e soffice utilizzato da sempre per il ballo delle debuttanti o per la sposa.

....

FULL PAILLETTES Tessuto ricamato a paillettes lucide e opache che ricoprono interamente la superficie. Perfetto per i top da usare nelle occasioni speciali e la sera.

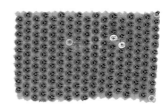

....

CRÊPONNE CHIFFON SETA Stoffa leggera a superficie increspata che la rende elastica e ingualcibile. Usata per abiti vaporosi, bluse e gonne.

....

1 .... **CHARMEUSE DI SETA** Tessuto a trama leggerissima e brillante di superficie. Adatto per linee morbide.

....

RASO Fluido cascante e lucido di superficie. Ideale per abiti lunghi e camicie. Utilizzato nell'intimo per realizzare capi estremamente femminili come la sottoveste.

....

La prima
Alla Scala

....

Il fruscio del taffetà,
la leggerezza della crêpe
de Chine, gli arabeschi in
velluto, preziose broderie,
inserti in chantilly... e
tu in piume di struzzo
e marabù, una stola
bordata da luccicanti
frange in seta, una cappa
di broccato, lunghissimi
guanti di satin e una
lunga, profumatissima
scia di "Bal à Versailles
di Desprez: sei pronta!
Stai andando alla Prima
del Teatro Alla Scala.
Non ci sono più regole,
tutto è concesso, è guerra!
Di gioielli, soprattutto:
smeraldi, chandelier
di diamanti ed enormi
broche.

..... 1

..... 2

È di rigore l'abito lungo, ma se non ti slancia la silhouette è inutile intestardirsi. Ricorri a un abito in organza ricamata dal colore brillante e gioca tutte le tue carte con gli accessori e un'acconciatura d'effetto: successo e flash assicurati!

....

1 .... **PIZZO GUÊPIÈRE** *Tipologia di pizzo consistente e importante, ideale per corpetti e abiti.*

....

2 .... **VELLUTO DEVORÉ** *Tessuto in velluto con effetti di leggerezza dovuti alla tecnica devoré grazie alla quale si elimina chimicamente una delle fibre usate nella tessitura. Adatto ad abiti, gonne e bluse.*

....

CRÊPE SABLÉ *Tessuto a superficie mossa in pura seta ideale per realizzare abiti e gonne.*

....

VELLUTO LISCIO EFFETTO MARTELLATO *Tessuto a pelo direzionato. Con un apposito effetto di superficie mossa il tessuto prende un aspetto vintage.*

....

FIL COUPÉ IN GEORGETTE DI SETA *Tessuto leggero e con superficie disegnata, ideale per abiti gonne e bluse. Prende il nome dal francese "filo tagliato" poiché sul retro i fili che avanzano vengono tagliati via. L'effetto è di leggerezza nonostante il disegno di superficie.*

....

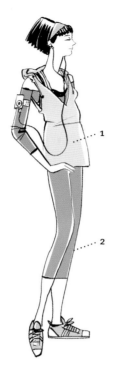

Una parentesi di fashion fitness

....

Comodità prima di tutto ma
non dimenticare mai lo stile
per non rischiare di sembrare sciatta e trasandata: un
vero crimine! Miscela tutti
i toni del grigio, aggiungi
un iPod bianco e spogliati di
tutti i gioielli. Basta trovare il proprio mood anche in
questo e il gioco è fatto.

*Ti senti tecnica? Allora inguainati in tutine traspi-
ranti mozzafiato. Sei il genere retrò? Felpe, canotte
a doppio strato, tagli vivi e piccole fantasie. Sei romantica? Top scollato in stile Madonna e pantajazz morbido. La tua parola d'ordine è sofisticata? Total white e
fluidità per te. O sei un vero maschiaccio? Allora ruba
i pantaloni del tuo fidanzato o i suoi boxer e taglia una
felpa grigio mélange: sarai subito Rocky Balboa.*

1 **TULLE** *Leggero, elasticizzato e trasparente si adatta a molti usi. È parte fondamentale dei costumi di scena delle ballerine per la sua elasticità e femminilità. Se lavorato a rilievo prende il nome di point d'ésprit. Perfetto per top e T-shirt.*

....

NYLON ANTIVENTO *Tessuto tecnico in nylon è adatto per l'attività sportiva all'aria aperta perché ripara dal vento e lascia traspirare. Per la sua leggerezza si adatta a varie modellazioni. Ideale per il K-way.*

....

2 **JERSEY JOGGING** *Tessuto a maglia grigio mélange. Jersey elasticizzato utilizzato per indumenti sportivi tra cui il popolare pantalone chiamato pantajazz.*

....

COSTINA JOGGING *Tessuto finissimo a costine che aderisce al corpo lasciando liberi i movimenti. Famose sono le canottiere a costine.*

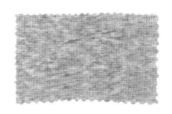

....

FELPA *Cotone soffice ed elastico con un lato rasato e liscio e l'altro gonfio e morbido. Perfetto per indumenti da jogging come la felpa con il cappuccio e i pantaloni lunghi.*

....

Una mattinata al maneggio

....

Vestirsi per una cavalcata è un vero rito: pantaloni stretch solo blu o ghiaccio, camicia tartan, Oxford o Chambray, rigorosamente a maniche lunghe, un tocco fashion con un cache-col in seta stampata. I guantini in corda, naturalmente abbinati a briglie e frustino, vi daranno un'aria molto british. Cap e stivali lunghi rigorosamente su misura!

*R*icordati di ingrassare i tuoi stivali alla fine di ogni passeggiata, solo così potrai assicurare loro una lunga vita!

TARTAN *Tessuto di origini scozzesi medievali che contraddistingue, attraverso le cromie, la famiglia di appartenenza. Negli anni '80 alcuni stilisti lo proposero in modo innovativo. Ideale per blazer, gonne, abiti e pantaloni.*

....

1 ....**FUSTAGNO STRETCH** *Cotone vellutato dalla struttura molto robusta, il suo nome deriva dalla parola El Fustat, sobborgo de Il Cairo. Per blazer, pantaloni e gonne.*

....

2 ....**TRICOTINA COTONE** *Tessuto di armatura diagonale molto resistente di colore beige, viene utilizzato nelle occasioni sportive e country per pantaloni, giacche e gonne.*

....

CHAMBRAY *Classico tessuto da camiceria inizialmente utilizzato per l'uomo, poi esteso anche al guardaroba femminile.*

....

DOUBLE di CAMMELLO *Trattasi di tessuto a lavorazione double, soffice e caldo. Il colore più popolare è il miele. Ideale per le giacche.*

....

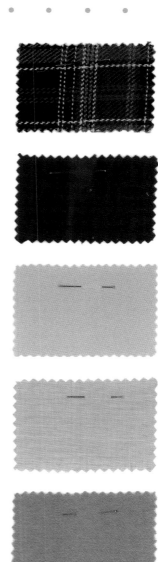

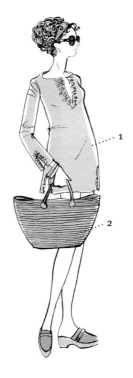

Una domenica a Forte dei Marmi

Decidi di regalarti una domenica al mare con le amiche, unendo una giornata di sole e sport alla voglia di fare shopping. Quale luogo è meglio di Forte dei Marmi? Prima di andare in spiaggia andate a divertirvi girando tra le bancarelle del famoso mercatino alla ricerca di pezzi unici e introvabili altrove.

Extra chic sempre e comunque, anche al mare! Quindi, mi raccomando, prima di arrivare in spiaggia il costume non deve essere esibito ma celato sotto il caftano o un pareo stampato. E poi, dettaglio fondamentale, pedicure e manicure sempre perfetti. Con l'estate puoi osare anche smalti colorati e irriverenti.

1 **PLUMETIS SU GARZA** *Tessuto con effetto fil coupé in superficie e su base di mussola leggerissimo. Indicato per caftani e bluse.*

....

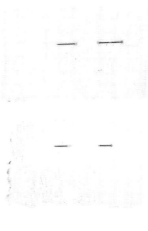

DOPPIA GARZA INTAGLIATA *Tessuto di garza doppia con ricamo a intaglio ai bordi, indicato per abiti.*

....

2 **RAFIA** *Lavorazione a maglia su filato rafia; di struttura rigida, si adatta al meglio per gli accessori.*

....

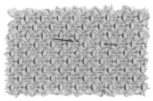

LINO LEGGERO RICAMATO A PUNTO LANCIATO *Lino leggero e fresco con ricamo a punto lanciato sui bordi, adatto per realizzare camicioni e abiti.*

....

MUSSOLA RICAMATA A PIC-COLI FIORI *Mussola leggera con ricamo a forellini ideale per camicie e caftani.*

....

Bermuda e mocassini sono punti fermi del look da barca. Ed ecco un piccolo segreto: per non dimenticare mai la femminilità, indossa con il bermuda un meraviglioso costume intero (sì, sì, non è un errore di stampa) con un profondo scollo sul dietro, così durante le manovre di lasco e bolina sarai sempre sexy e perfetta!

Una gita in barca

1

Finalmente prendi il largo per regalarti una parentesi rigenerante in mezzo al mare, cullata dalle onde, baciata dal sole e rinfrescata dalla brezza marina. Mi raccomando non lasciare a terra le creme solari perché devi prenderti cura della tua pelle!

MADRAS DI LINO *Tessuto a fantasia scozzese, prende il nome dalla città di Madras in India dove viene tessuto a mano e tinto con coloranti vegetali. Usato per camicie, abiti chemisier, gonne e bermuda.*

....

FIL À FIL PERCALLE *L'intreccio di trama e ordito sui toni degli azzurri rende questo tessuto adatto per realizzare camicie, foulard e stole.*

....

TELA DI LINO RIGATA *Tessuto estivo di puro lino disegnato a righe orizzontali o verticali. Di medio peso si adatta a caftani, bermuda, shorts.*

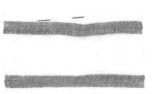

....

1···. **TELA DI PURO LINO** *Tessuto vegetale di origini antiche proveniente dall'Asia. In base alla finezza della fibra il tessuto può essere leggero o consistente. Per bermuda e camicie.*

....

BASTONETTO IN LINO COTONE *Tela in lino cotone con un motivo a righe chiamato bastonetto. È adatto per abiti chemisier, gonne, bermuda e caftani.*

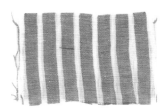

....

L'aperitivo in piazzetta a Capri

....

Il momento migliore per vivere la piazzetta sorseggiando un Kir Royal è al ritorno dal mare, dopo il tramonto. Aggiungi al tuo candido chemisier in lino un gioiello colorato in smalto, cellulosa o, ancor meglio, turchesi o coralli rossi di Torre del Greco. E non dimenticarti mai lo storico infradito caprese color miele.

*P*er sorseggiare l'aperitivo nella mitica piazzetta di Capri non dimenticare gli accessori giusti: il maxi occhiale e la borsa Jackie's che ci riportano immediatamente ai favolosi anni '60, l'epoca delle vere dive, come la first lady per eccellenza: Jacqueline Bouvier Kennedy!

VISCOSA LEGGERA *Tessuto leggero e fluido stampato con fantasia coloratissima, si adatta a realizzare abiti, camicie, gonne e pantaloni.*

....

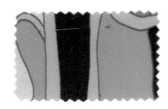

1····· **SHANTUNG SETA** *Stoffa brillante e scivolosa. Caratteristiche sono le fiamme orizzontali in superficie ottenute con fili di seta irregolari. Adatta ad abiti, gonne e pantaloni.*

....

VISCOSA COTONE COMPATTO *Ideale per pantaloni, shorts, top. Per la brillantezza della superficie si adatta a essere stampato a fantasia.*

....

SATIN O RASO IN COTONE *Tessuto in cotone con superficie liscia e brillante per l'armatura a briglie lunghe. A seconda della pesantezza si adatta a top, camicie, abiti o gonne.*

....

GABARDINE COTONE *Tessuto derivante dalla tradizione maschile. Compatto e resistente mostra una diagonale tipica di questo materiale perfetto per pantaloni e gonne.*

....

Un weeekend a Deauville

....

Regala ancora oggi l'atmosfera di inizio '900 questo luogo incantevole dove Mme Coco Chanel andava a rifugiarsi e dove ha aperto la sua prima attività: per questo qui si respira aria di vera classe!

*L*o stile shabby chic e d'antan sarà il mix giusto per questa località balneare così raffinata e mondana. Stampe a pois, cascate di perle e un tocco da non dimenticare per essere impeccabili: un cappello in rafia a tesa larga e grossi occhiali in cellulosa bianca!

OXFORD PESANTE *Tela pesante e compatta costruita con fili di trama sempre bianchi e in ordito colorati ideale per pantaloni e gonne.*

....

1 .....**BASTONETTI** *Su base popeline (tessuto finissimo) o tela, per bastonetti si intendono disegni a righe verticali di varie dimensioni, tipici nella camiceria maschile.*

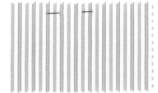

....

DENIM *Tessuto compatto e robusto si trova in varie tonalità del blu. Con l'uso frequente e i lavaggi questa stoffa tende a scolorire. Perfetto per pantaloni e gonne.*

....

2 .....**VICHY** *Disegno a piccoli quadretti bicolore, si trova su varie pesantezze di tessuto. I più popolari sono il bianco e rosso, il bianco e blu. Per giacche, gonne, pantaloni e abiti.*

....

STAMPA A POIS SU SETA *Disegno stampato a puntini o a pallini di varie dimensioni. I più piccoli si chiamano punta a spillo, i più grandi pois. Ideale per giacche, pantaloni, abiti e gonne.*

....

La domenica
a Goodwood

....

La crème de la crème della società inglese si riunisce qui ogni anno per seguire la più famosa corsa d'auto d'epoca. Parteciparvi è un onore e ti sembrerà di essere stata catapultata in un film d'epoca. Atmosfere rarefatte, motori a scoppio, bluse a fiori, calze a rete a riga, gonne svasate sotto al ginocchio, cappellini a tamburello. Ah, che aria *very British* che si respira.

1

Non potrai assolutamente scendere a compromessi sulla scelta del tuo outfit per questa occasione davvero imperdibile. Armati di pazienza nella ricerca di capi vintage e non dimenticare gli accessori che completano alla perfezione il look: *occhiali a farfalla, scarpe Mary Jane e cappellino con veletta!*

....

NATTÉ STAMPATO *La superficie a rilievo ricorda l'intreccio di un cestino. Si trova in tinta unita ma la versione stampata o jaquard la rende particolarmente retrò. Per giacche, abiti, gonne e pantaloni.*

....

OCCHIO DI PERNICE *Una fantasia elegante e discreta adatta alle occasioni di rappresentanza e anche a quelle più informali, per giacche e pantaloni.*

....

MAGLIE IN LINO COTONE *Tessuto a maglia in fibra mista e naturale di lino e cotone. Fresco e fluido viene usato alla fine degli anni '40 per realizzare modelli a polo con taschino da uomo.*

....

CRÊPONNE SETA COTONE *Questa stoffa, ingualcibile e particolarmente elastica, si trova in pura seta o mista seta cotone con cui vengono realizzate camicie e bluse retrò.*

....

MATELASSÉ *Tessuto doppio che per un gioco di intrecci sembra trapuntato. Viene usato per giacche, trench, 7/8, gonne e abiti princesse.*

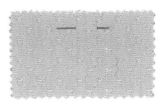

....

Le vacanze di Natale a Cortina

Meta ambita per le vacanze invernali, da sempre Cortina ha il primato di località di tendenza. Il look che si osserva in passeggiata al Corso è riconoscibile e ben definito: maglie in cashmere, imbottiti di piuma dai colori sofisticati, pellicce vaporose e stivali a profusione.

*A*nche a molti gradi sotto zero, non trascurare mai il tuo look. La soluzione ideale è agire di sovrapposizioni: maxi pull fatti a mano, gilet e colbacco in pelo, così sarai una regina delle nevi calda e super trendy!
P.S. Un consiglio beauty: ricordati di nutrire sempre la tua pelle, anche in alta quota!

MAGLIERIA IN CASHMERE *Maglie fatte a mano caldissime realizzate con la fibra più pregiata: il cashmere. Le tonalità vanno dal miele al kashà.*

....

CAVALLINO *La pelle in cavallino si riconosce per il pelo lungo e direzionato e le macchie tipiche a contrasto. Questo pellame è adatto a molti usi in particolare ad accessori e capi spalla.*

....

VISONE *Pelliccia lucente a pelo medio lungo. Nelle nuance naturali si trova in colorazioni che vanno dal miele al brown. Si usa per capi interi, colbacchi e borse, e in maglieria per colli e dettagli.*

....

1 ....**MONTONE** *Pelle con un lato scamosciato e l'altro a pelo rasato o riccio. Si realizzano capi spalla e tutte le varietà di accessori.*

....

DOUBLE DI CASHMERE *Tessuto morbido e compatto a doppia faccia con due lati uguali che vengono confezionati attraverso la lavorazione double per giacche e cappotti.*

....

Il safari in Kenya

1

Le giornate di safari sono emozionanti ma anche molto stancanti: ore e ore sui fuoristrada che attraversano strade sterrate, sole, vento e caldo intenso. Potrai inventarti un look tipo "la mia Africa" pratico e anche comodo, aggiungendo un tocco personale: collier e bracciali coloratissimi che spezzano le cromie total kaky e bianco. Ma per la cena a lume di candela nella tenda Masai, pantaloni a sigaretta, top con stampe tribali e sandalo rigorosamente flat.

*P*er un safari davvero fashion il must è la sahariana in lino grezzo e un cappello a tesa larga! Porta sempre con te una lunga sciarpa in garza di lino, in cui avvolgerti in caso di tempesta di sabbia.

GARZA COTONE *Tela rada e leggerissima adatta a modelli ampi ed estivi come camicioni e caftani.*

....

GARZA LINO *Tessuto a trama rada in lino molto fresco e leggero. Ideale per stole, camicie e caftani.*

....

STAMPA VEGETALE SU CHIFFON *Chiffon di seta stampata con effetto di tintura vegetale per caftani e gonne.*

....

¹····**MUSSOLA COTONE SETA** *Tela finissima di cotone seta. Ideale per camicie, abiti e pantaloni estivi.*

....

GABARDINE COTONE *Tessuto di cotone con armatura diagonale. Compatto e resistente si adatta a pantaloni, bermuda e sahariane.*

....

Una crociera nei Caraibi

La crociera è l'occasione perfetta per rilassarsi, scoprire luoghi affascinanti e unici e fare incontri interessanti. Quindi non puoi permetterti errori nel look. Una raccomandazione: scegli nel tuo guardaroba i capi più femminili e sexy. Gonne, abiti, corsetti, top intimi e costumi tra i più fantasiosi; e per la sera grossi monili colorati. Non puoi neppure immaginare quante occasioni mondane ti aspettano!

Un segreto: non farti mai trovare impreparata, esibisci sempre un look perfetto. Ecco i 10 must indispensabili che devi mettere in valigia: shorts anni '50, top all'americana, little black dress in jersey, sandalo gioiello, costume intero, cappello a tesa larga, foulard a fantasia, occhiali da sole, infradito, cesto di paglia. Combinando correttamente questi elementi sarai splendida.

JACQUARD SU BASE SATIN
Brillante e compatto il tessuto jaquard presenta leggeri rilievi in superficie creati dai giochi di intrecci che formano il disegno. Adatto a giacche, abiti, gonne e pantaloni.

....

SEERSUCKER *Tessuto resistente con effetti di stropicciatura in superficie, si trova rigato fantasia oppure tinta unita, per gonne, abiti, giacche e pantaloni.*

....

RASO COTONE ELASTICIZZATO
Stoffa elasticizzata e brillante per effetto dell'armatura a raso, è ideale per realizzare pantaloni e gonne.

....

1 ..... **MUSSOLA COTONE** *Leggero e fresco il tessuto in tela di cotone è adatto per camicie, bluse, caftani, gonne voluminose e abiti.*

....

CANVAS SPALMATO *Tessuto robusto con intreccio di tessitura visibile in superficie. Il trattamento di spalmatura lo rende più tecnico.*

....

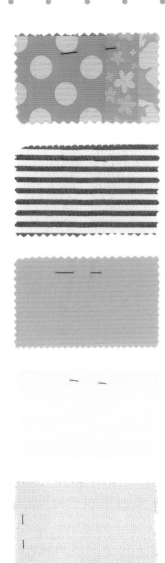

La cena di gala con il Capitano

....

Tutto ciò che si anima dopo le 20 è sera, e la cena di gala col capitano è gran sera! Potrai osare un po' di più col trucco, la scelta dei gioielli e i décolleté generosi. Trasparenze più audaci create da tanti petali di chiffon. Prova colori intensi e decisi: nero, rosso, verde (non è per tutte!), purple, mauve, e anche gli accostamenti come nero con beige, verde con viola, grigio con rosa antico. Attenzione però, non abbinare mai il rosso con il nero: fa troppo "spagnola"!

.... 1

C osa mettere in valigia quando si va in crociera? Devi sapere che ci possono essere anche tre serate di gala (dipende dalla durata della vacanza) e in valigia non c'è mai abbastanza spazio! Un suggerimento: porta con te almeno un abito da gran sera corto o lungo e almeno un paio di abiti in jersey, uno nero e un secondo nei colori del fucsia e violet. Questi ultimi li arricchirai con accessori e bijoux importanti con un risultato strabiliante e, magia, ruberanno pochissimo posto in valigia!

GARZA DI SETA E COTONE *Tessuto leggero e freschissimo, adatto per stole, abiti e gonne vaporose.*

....

JACQUARD FANTASIA FLORE-ALE *Per effetto dell'intreccio di trama e ordito si creano sul tessuto disegni di varie forme che danno movimento al tessuto; per abiti e gonne.*

....

1 .... **JACQUARD FLOREALE STAM-PATO** *La stampa di questa stoffa aiuta ad arricchire i disegni creati dall'intreccio di trama e ordito. Ideale per abiti, gonne, giacche.*

....

TWEED CHANEL ESTIVO *Intrecci di fili di diverso diametro in trama e ordito. La presenza del colore e del filo di lurex lo rende estivo. Ideale per tailleur, abiti e gonne.*

....

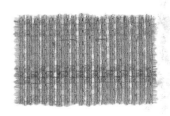

MUSSOLA CHIFFON DI SETA COTONE *Tessuto leggero ed elegante da usare per camicie, stole, abiti e gonne vaporose.*

....

Il grande giorno: la sposa

....

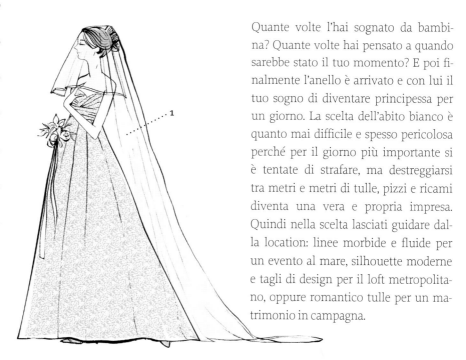

Quante volte l'hai sognato da bambina? Quante volte hai pensato a quando sarebbe stato il tuo momento? E poi finalmente l'anello è arrivato e con lui il tuo sogno di diventare principessa per un giorno. La scelta dell'abito bianco è quanto mai difficile e spesso pericolosa perché per il giorno più importante si è tentate di strafare, ma destreggiarsi tra metri e metri di tulle, pizzi e ricami diventa una vera e propria impresa. Quindi nella scelta lasciati guidare dalla location: linee morbide e fluide per un evento al mare, silhouette moderne e tagli di design per il loft metropolitano, oppure romantico tulle per un matrimonio in campagna.

Non girare per gli atelier con i ritagli di mille riviste alla ricerca dell'impossibile. Affidati a un atelier o a una Maison d'alta moda in cui identifichi il tuo stile e con l'aiuto del tuo Wedding Planner riuscirete a creare un abito esclusivo fatto solo per te!

PIZZO VALENCIENNE GUÊPIÈ-RE *Pizzo su base valencienne ma con sovralavorazioni artigianali di pizzo guêpière.*

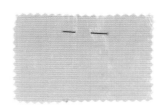

....

SETA FROISSÉ CON METAL-LO *Tessuto dall'aspetto stropicciato con effetto mosso in seta e metallo ottenuto dalla composizione mista di questi due materiali.*

....

JERSEY PIZZO *Tessuto a maglia con lavorazione di pizzo. Elastico e fluido, ideale per top e abiti.*

....

RICAMATO A PUNTO LAN-CIATO A CATENELLA *Ricamo a punto lanciato e tagliato. Tipica lavorazione artigianale.*

....

SAGLIA SETA *Tessuto lucido e fluido di superficie a raso saglia e cadente, adatto per abiti, bluse e gonne.*

....

VALENCIENNE LEGGERO SU TULLE Pizzo *valencienne con ricamo diradato su leggerissimo tulle.*

. . . .

LEAVER Pizzo *iper femminile e leggero quasi impalpabile.*

. . . .

GUÉPIRE Pizzo *di realizzazione artigianale. Tipico per le sue lavorazioni a rilievo.*

. . . .

JACQUARD Tessuto *in seta con effetto di rilievo impercetibile.*

. . . .

T l velo è l'accessorio per eccellenza che completa il look di ogni sposa. In tulle ricamato, in organza Guigou bordato in pizzo chantilly o antico di famiglia è quell'immancabile tocco che rende il tutto più magico ed emozionante. Attenzione alla lunghezza, da scegliere a seconda della tua altezza, dalla lunghezza dello strascico... e quello della chiesa!

DUCHESSE DI SETA Tessuto consistente, rigido e regale. Utilizzato per la sposa e per gli abiti di gala e da sera.

....

1 ..... **PIZZO MACRAMÉ** Pizzo realizzato con filat grossi. Il disegno è molto visibile.

....

DOPPIO RASO Raso di seta, realizzato con tessuti finissimi attraverso i quali in tessitura si ottengono quasi due strati.

....

ORGANZA LEGGERA A RASO E GIGOU Organza trasparente e leggera ma con superficie setosa data dalla speciale armatura a raso.

....

Matrimonio
in campagna di giorno

....

Se la tua migliore amica ha
scelto per il suo grande giorno un
déjeuner sur l'herbe, sarai perfetta
con un abito a corolla con stampa
floreale in croccante organza
multistrato e cintura in vita.
Evita tacchi a stiletto e gioielli
troppo appariscenti o scintillanti.
Se lo scenario si sposta tra gli
ulivi o i vigneti toscani, opta per
un abito millefoglie di georgette
tinta unita, morbido, svolazzante
e impertinente, con un bustino
dal fittissimo drappeggio e
un bel paio di chandelier con
topazi briolè multicolor...
semplicemente unica!

1

*Il copricapo è di rigore per un matrimonio in campagna. A
tesa larga, coloratissimo, con fiori di seta e nastri, cappellini con le piume, broche e headpiece con velette, questi cappelli deliziosi dall'aria leggermente retrò doneranno al tuo look
un sapore certamente unico e personale. Informati sempre sul
dress code con la mamma della sposa: è lei che detta legge!*

1 **GEORGETTE DI SETA STAMPA FLOREALE** *Tessuto leggero trasparente e con increspature di superficie. Stampato a piccoli fiori multicolor.*

....

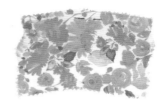

PIZZO CHANTILLY IN COTONE *Pizzo di origine francese, dalla struttura consistente in cotone. Viene realizzato anche con la seta. Adatto per abiti, bustini e gonne di linea diritta.*

....

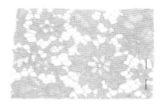

ORGANZA DI SETA LINO RITORTA *Tessuto leggero e scattante. La trama è trasparente e leggera, ideale per gonne, bluse e abiti.*

....

TAFFETÀ CANGIANTE SETA *Tessuto consistente e cangiante dovuto al gioco di intrecci di trama e ordito, ideale per abiti di gala, stole e forme voluminose.*

....

RASO RITORTO SETA NYLON *Tessuto ad armatura a raso. Fluido e robusto per la componente di nylon; adatto per bluse e camicie.*

....

Matrimonio al castello di sera

... 1

A bito ampio e strutturato in mikado con piccolo strascico e schiena nuda. Colori decisi e luminosi come il rosa shocking, il blu Chine e il bronzo. Oppure puoi scegliere un più grintoso monospalla di impalpabile organza black doppiato con pizzo valencienne color nudo... sarai di gran tendenza e super sofisticata. Un ultimo tocco prima di uscire: mascara per ciglia XXL per uno sguardo ammaliante e irresistibile: ai matrimoni nascono spesso grandi amori, parola d'autore!

Un romantico matrimonio al castello con il luccichio di mille candele? L'atmosfera sarà da sogno e tu, anche se non arriverai a bordo di una carrozza, sarai veramente una star.

PIZZO VALENCIENNE DISEGNI ANNI '40 *Pizzo con disegno che riprende i pizzi anni '40.*

....

CRÊPONNE SETA LANA *Tessuto con superficie increspata; la fibra di lana lo rende morbido e consistente, ideale per gonne e bluse.*

....

ORGANZA LEGGERA SETA LINO *Organza trasparente con fiamme in trama dovute alla presenza della fibra del lino. Tessuto ideale per abiti.*

....

1 ....**MIKADO IN SETA-COTONE** *Utilizzato per la sposa, è un tessuto consistente adatto per scolpire le linee e presenta un lato più brillante dell'altro.*

....

JACQUARD IN SETA *Tessuto a lavorazione di intrecci che formano disegno di tessitura. Ideale per abiti, gonne e giacche.*

....

L'armadio

Ciò che desideri e ciò
che devi assolutamente
avere: capi, accessori
e mise perfette
per i diversi momenti
della tua giornata

Intimo

. . . .

Per le nostre bis bis bis nonne l'intimo era segretissimo, paffuti mutandoni in calicot di cotone con bustini accollati di stecche di balena che si nascondevano sotto gli abiti in crinoline.

Oggi l'intimo è decisamente esibito e mostrato come un capo d'abbigliamento esterno e forse anche di più. Reggiseni a balconcino con magnifiche spalline di pizzo che spuntano sapientemente dalle bretelline delle canotte, sottovesti in satin di seta che possono essere indossate come veri abiti da sera.

Intimo
....

Solo perché è intimo pensi di potertene dimenticare? Per ogni look c'è quello giusto: il color carne è d'obbligo se indossi un outfit bianco. Perizoma e tanga senza cuciture sono adatti ad abiti aderenti in jersey. Per la palestra devi almeno avere un reggiseno con spalline incrociate, pratico e comodo. E ricordati che nel tuo armadio non può mancarne uno con spalline amovibili: diventa fascia e si presta a qualunque linea di abito.

Reggicalze classico
....

Reggicalze sexy
....

Giarrettiera
....

Stringivita
....

Guêpière
....

Corpetto
....

Scaldamuscoli
....

Calzini
....

Collant
....

Parigine
....

Parigine Alte
....

Autoreggenti
....

Calzettoni
....

Il reggiseno
....

C'è da diventare matte quando la commessa ci chiede: che tipo di reggiseno cerchi? A fascia, con ferretto oppure a triangolo o magari un push-up e poi la coppa è una B una C o una A? E pensare che noi avevamo solo chiesto un reggiseno taglia seconda color carne! Bisogna farne di strada per conoscere tutto questo! Tuttavia un piccolo segreto c'è, per essere perfette e avere un décolleté invidiabile. Si chiama "la regola dei 3 cm" ed è molto semplice: dopo avere indossato il reggiseno della forma che ritenete più idonea a voi, controllate che, tendendo la spallina per fissare la misura giusta, quest'ultima non si allunghi più di 3 cm, altrimenti rischierete d'avere le bretelline lente e una linea di seno un po' rilassato: non gioverebbe al vostro décolleté!

Triangolo
....

Balconcino
....

Perizoma
....

Tanga
....

Carioca
....

Slip alto
....

Culotte
....

Slip basso
....

Push-up
....

Brasiliano
....

Sottoveste
....

MAI PIÙ
SENZA!

L o sapevate che ogni sposa deve indossare collant color gesso sotto l'abito? Che siano collant bianchi o calze con reggicalze oppure autoreggenti, che siano di 15 denari o leggermente più consistenti poco importa. Anche se il matrimonio è al 15 di luglio e c'è un caldo torrido!! E non dimenticate il tocco di fortuna e di colore dato dalla giarrettiera rosso fuoco che non deve mancare sotto il candido abito lungo! Per il reggiseno fate molta attenzione; se l'abito non ha già incorporato il bustino, allora dovete procurarvene uno ultra liscio che valorizzi il décolleté e che non segni sotto l'abito!

Sottoveste

· · · · · · · · · ·

MAI PIÙ SENZA una sottoveste nell'armadio.
Tutte le donne dovrebbero averne almeno tre,
in tre colori diversi: nero, nudo e avorio. Ma
se proprio dovete scegliere, ed acquistarne
solo una, optate per quella in color nudo con
dettagli in pizzo valencienne; è femminile,
si abbina bene con altri colori come il nero
e l'off white. La sottoveste deve diventare il
must del guardaroba, da portare sempre in
valigia. Se ben accessoriata può diventare
uno splendido abito da occasione, indossata
con un maxy cardigan può farci scoprire
un perfetto look homewear chiccoso e iper
femminile. Vogliamo esagerare? La stessa
sottoveste in color nudo abbinata a sandali
gioiello, cascate di bijoux e una stola di
organza enorme non avrebbe nulla da
invidiare ad un abito da sera!
Vi state chiedendo come? Sfogliate le prossime
pagine e scoprirete tutti i segreti.

Giorno

Homewear

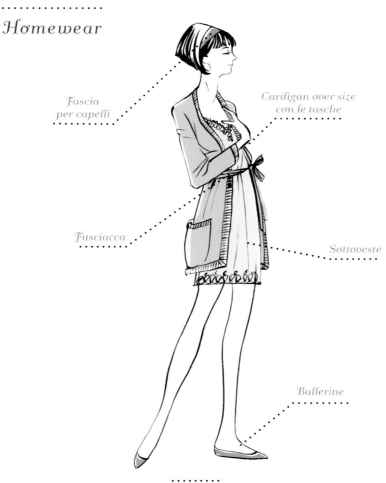

Fascia
per capelli

Cardigan over size
con le tasche

Fusciacca

Sottoveste

Ballerine

Basta con tristi pigiamoni e deprimenti tutone, ecco un'idea comoda
per un look homewear decisamente sexy e molto New York style.

Aperitivo

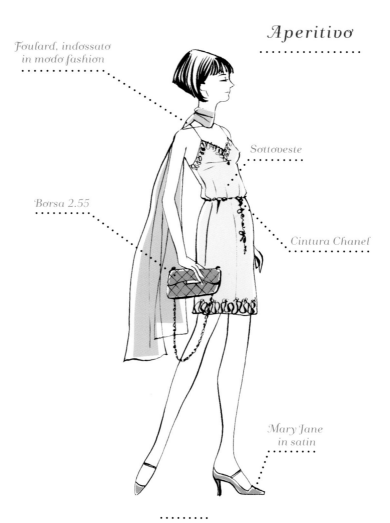

Foulard, indossato
in modo fashion

Sottoveste

Borsa 2.55

Cintura Chanel

Mary Jane
in satin

Femminile e stiloso, questo è un look adatto per un aperitivo
estivo all'aperto o per l'inaugurazione della mostra di un amico.

Sera

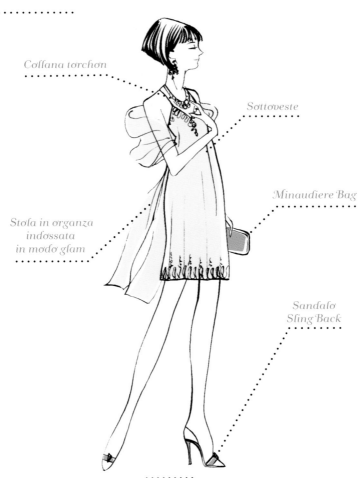

Collana torchon

Sottoveste

Minaudiere Bag

Stola in organza
indossata
in modo glam

Sandalo
Sling Back

*Splendidamente chic ed elegante grazie a un semplice, ma
fondamentale, cambio di accessori.*

Camicie, T-shirt e maglieria

La camicia da uomo nella storia era considerata come l'intimo per l'abbigliamento femminile: si mostravano solo il colletto e i polsini! Poi è diventata un must. Per le donne si è completamente trasformata ed è diventata vera protagonista.

La maglietta a fine XIX secolo era invece parte della divisa della marina militare, poi negli anni '30 viene usata nello sport, nei '50 è simbolo della gioventù bruciata e nei 2000 diventa un capo icona che stilisti e Maison reinventano e personalizzano.

Ma tra tutti i capi del guardaroba la maglia non ha rivali in termini di comfort: è elastica, fluida e può essere calda o fresca a seconda del tipo di filato. Se c'è un capo che non vorremmo mai abbandonare, anche se bucato e ormai infeltrito, è il pullover in cashmere.

Camicie

....

Noi donne siamo fortunate!
Quando andiamo a comprare
una camicia non dobbiamo
dichiarare il numero/taglia
del collo come gli uomini
che invece devono pensare
alla linea (chiamata fit)
e definire la loro misura
del collo per stabilirne
la vestibilità (un vero
rompicapo!). Per noi la
taglia è molto più semplice,
ma la scelta dei modelli può
essere ardua. Le camicie si
trovano in mille forme colori
e tessuti, leggere, pesanti,
larghe, strette, sportive,
romantiche. Se la nostra
conformazione è androgina
la camicia da scegliere è
quella a uomo, se invece la
nostra fisicità è più rotonda
la camicia ideale è la
romantica e se ci sentiamo
attive e comunque femminili
il modello ideale è il taglio
all'americana. La camicia
è il capo più utile di tutto
il guardaroba e se è bianca
diventa veramente un passe-
partout indispensabile.

Marinara
....

A blusa
....

Guayabera
....

Pirata
....

Country

Coreana

A corsetto

Caftano

Americana

Anni '40

*L*a camicia deve sempre essere immacolata e ben stirata e se la porti bianca non sottovalutare l'intimo perché il reggiseno si vede sempre! Hai due possibilità: se decidi di esibirlo (per avere un look sexy), divertiti con balconcini e pizzi valencienne che fanno molto BB anni '60; se opti per un look Urban City, sotto la tua camicia bianca indossa un reggiseno di forma lineare sempre con ferretti. Se poi vuoi che quasi non si veda, sceglilo color nudo. Piccolo segreto: sbottonala sempre sino al terzo bottone, ti conferirà uno charme unico.

Hawaiana
....

Femminile
....

Romantica
....

A uomo
....

MAI PIÙ
SENZA!

Camicione
....

A farfalla
....

Button down
....

Plastron
....

Vittoriana
....

Jabot
....

Camicia a uomo bianca

....

MAI PIÙ SENZA la camicia a uomo
bianca nell'armadio. Potrebbe essere
anche rubata dal guardaroba del
vostro lui, l'importante è che sia in un
cotone consistente, meglio se stretch e
un po' allungata sui fianchi. Troverai
sbalorditivo accorgeti che LEI ti risolve
tutti i dubbi di stile. Il tuo capo ti ha
fatto partire in fretta e furia per un
weekend di lavoro? Non hai neppure
fatto in tempo a fare la valigia e sei
costretta a imbarcarti con una shopper
e poco altro? La camicia a uomo, la
camaleontica, si trasformerà a seconda
delle occasioni: giorno, cocktail e
anche sera, solo aggiungendo accessori
speciali. L'importante è averne almeno
due nell'armadio sempre candide
e immacolate.

Giorno

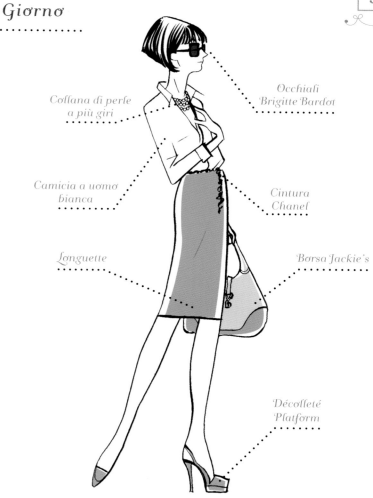

Collana di perle
a più giri

Occhiali
Brigitte Bardot

Camicia a uomo
bianca

Cintura
Chanel

Longuette

Borsa Jackie's

Décolleté
Platform

Un outfit semplice e chiccoso per andare in ufficio
e fare le tue commissioni sentendoti sempre a tuo agio.

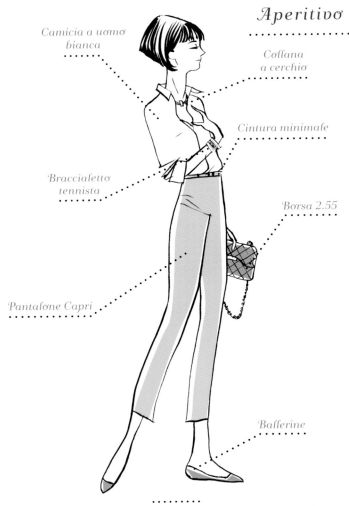

Aperitivo

Camicia a uomo bianca

Collana a cerchio

Cintura minimale

Braccialetto tennista

Borsa 2.55

Pantalone Capri

Ballerine

Essenziale e raffinata, con la camicia e un pratico pantalone modello Capri ti sentirai come una diva degli anni '60.

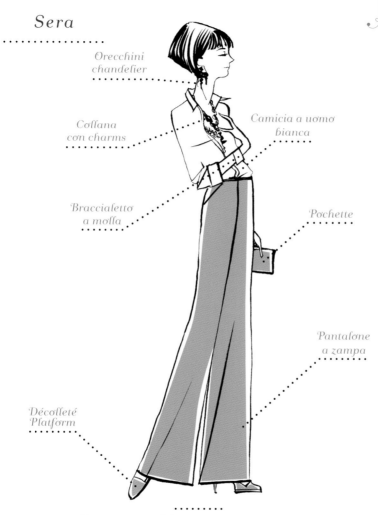

Sera

Orecchini
chandelier

Collana
con charms

Camicia a uomo
bianca

Braccialetto
a molla

Pochette

Pantalone
a zampa

Décolleté
Platform

Per una cena al ristorante o una sera a teatro
sarai semplicemente impeccabile senza esagerare.

T-shirt & Top

....

Qual è la T-shirt giusta per te?
Ti senti stilosa e fashionista?
E allora non ti far mancare la
T-shirt over size con scritte
e il top a fascia. Le amiche
ti riconoscono come eterna
romantica? Devono essere tue la
T-shirt con lo scollo Ballerina e
il top prendisole.
Sei un vero maschiaccio? Scatta
il must have! In 10 colori la
canotta modello camionista da
indossare sotto tutto. Non stai
mai ferma e ti senti iper attiva?
Il top vogatore deve essere tra
i tuoi preferiti insieme alla
polo o alla T-shirt con riga
bretone. Tranquilla, ti puoi
permettere la maglietta anche
se sei leggermente rotondetta,
devi però scegliere il modello a
kimono scivolato che ti renderà
femminile e più longilinea senza
segnarti troppo. È proprio vero,
c'è la T-shirt giusta per tutte!

T-shirt over size
....

MAI PIÙ
SENZA!

Ballerina
....

Top lingerie
....

Riga bretone
....

Camionista
....

Con jabot
....

Polo
....

Top romantico
....

Kimono

L a T-shirt e i top sono veramente una salvezza per il nostro guardaroba e non sbagli mai se ne acquisti di diverse forme e colori. Puoi rendere il tuo look più sportivo solo aggiungendo una T-shirt, oppure puoi sovrapporre tante canotte e diventare improvvisamente molto trendy. Piccoli accorgimenti: attenzione alla tua fisicità. Se sei il tipo burroso e rotondetta evita le T-shirt in cotone stretch di due taglie più piccole, otterrai un effetto sottovuoto estremamente poco chic e metterai in mostra quei terribili rotolini che sarebbe meglio nascondere!

Top a fascia
....

Monospalla
....

Vogatore
....

Prendisole
....

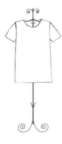

T-shirt over size bianca
....

MAI PIÙ SENZA la T-shirt over size
bianca nell'armadio. Non una sola, e non
solo bianca, ma almeno 10! In bianco,
grigio mélange jogging, nero, off white,
antracite, nudo e blu navy e siamo già
a 7. Anche la T-shirt può interpretare se
stessa; sportiva come nasce o, attraverso
accorgimenti e accessoriata a dovere,
può diventare tutt'altro. La tua vecchia
T-shirt consumata in grigio mélange
può essere stagliuzzata e ricamata per
un look hippy chic. Quella color nudo, se
ricamata con le vecchie trine della nonna
diventa iper femminile e romantica. La
T-shirt nera decorata con paillette e nastri
di raso può trasformarsi in un oggetto
super sexy. E la T-shirt bianca come si
trasforma? Sera giorno e occasione? Lo
scopriremo insieme nelle prossime pagine.

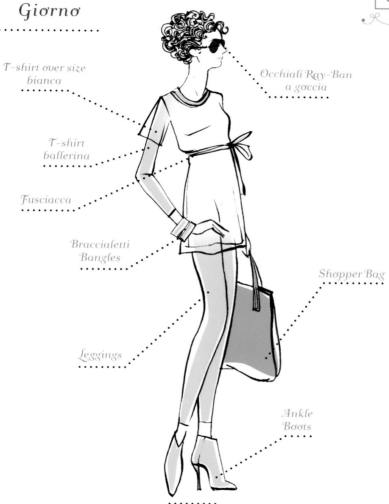

Giorno

T-shirt over size
bianca

T-shirt
ballerina

Fusciacca

Braccialetti
Bangles

Leggings

Occhiali Ray-Ban
a goccia

Shopper Bag

Ankle
Boots

*La tua T-shirt over size, strizzata sotto il seno, si trasforma
e diventa improvvisamente femminile e hot.*

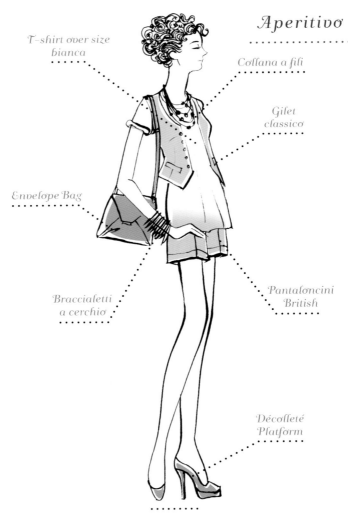

Aperitivo

T-shirt over size
bianca

Collana a fili

Gilet
classico

Envelope Bag

Braccialetti
a cerchio

Pantaloncini
British

Décolleté
Platform

Il tocco fashion del gilet e la praticità
dell'Envelop Bag ti rendono subito iper cult!

Sera

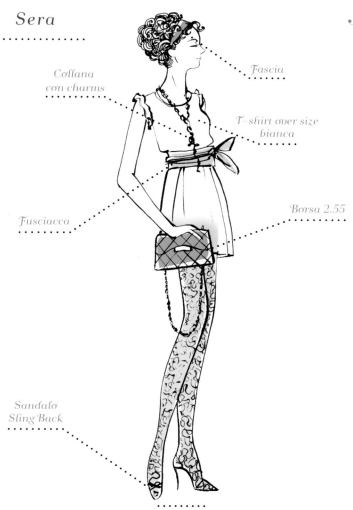

Collana
con charms

Fascia

T-shirt over size
bianca

Fusciacca

Borsa 2.55

Sandalo
Sling Back

*Arrotola le maniche della T-shirt, aggiungi qualche accessorio
adatto (non ci stancheremo mai di dirlo!) e il gioco è fatto.*

Maglieria
....

I capi in maglia hanno quell'aria un po' chic e rilassata che ci fa sentire sempre coccolate. Attenzione però, vanno scelti con cautela. Se sei un po' rotondetta, evita i modelli oversize e con punti grossi, per esempio lavorati a mano come il tricot inglese e la maglia a coste: non ti valorizzerebbero e rischieresti di sembrare un po' infagottata.

Opta invece per la maglia rasata, leggera e di volumi ridotti che ti snellirà la figura di almeno un paio di taglie!

Maniche a raglan
....

Cache-cœur
....

Girocollo
. . . .

Scollo a Madonna
. . . .

Collo ad anello
. . . .

Con cappuccio
. . . .

Twin-set
....

Kimono
....

MAI PIÙ
SENZA!

Poncho
....

Manica a pipistrello
....

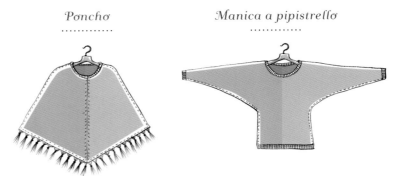

Coprispalla
....

Manica $^3/_4$
....

Scollo a U
....

Scollo a barca
....

L' immagine della giovane Gabrielle Chanel con il total look in maglia e cascata di perle è lo scatto più glam della storia della moda. Certo, per indossare outfit in maglia, al primo posto ci vogliono classe ed eleganza, ma soprattutto devi saper scegliere ciò che più ti dona. Un segreto: se sei magra, osa con i dolce vita, se invece sei più rotonda e con seno generoso, punta sulla scollatura a Madonna o a cache coeur per evidenziare il décolleté.

Cardigan over con tasche

Ciclista

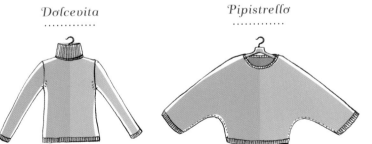

Dolcevita

Pipistrello

A martello
. . . .

Scollo quadrato
. . . .

Unico neo della maglieria è la manutenzione: se sono fibre pregiate come il cashmere o la lana extrafine il lavaggio consigliato è a mano. E con i nostri ritmi frenetici questo può essere un deterrente anche solo per l'acquisto. Tuttavia, come fare a privarsi di un gemellino in cashmere color kashà (il vero nome del colore beige della fibra nobile). E poi un piccolo segreto: come le dive del passato, oggi Michelle Obama, con una gonna a tubino, un twin-set in cashmere e un giro di perle, sarai terribilmente chic!

Camionista
. . . .

Maxi pull
. . . .

Twin-set

....

MAI PIÙ SENZA il twin-set nell'armadio. Non
importa se è over size o se è striminzito come
uno Chanel. In fondo puoi sempre contare su due
pezzi, top e cardigan, da alternare in base alle
tue neccessità. Senza alcun dubbio il cardigan è
sempre quello più utilizzato! Può essere il vero
protagonista di look tra i più disparati, solo
con cinture e bijoux diversi riusciamo a fargli
cambiare attitudine! Può diventare stiloso o
sporty chic, oppure super cosy. Ancora meglio se
il nostro cardigan è vintage. E poi il cardigan è il
vero amico del viaggiatore; a chi non è capitato
di entrare in un ambiente con aria condizionata
freddissima? Se non lo avessimo a portata di
mano saremmo finite. E poi basti pensare ai
cambi di stagione. in primavera e autunno:
esci al mattino con il cardigan indossato e la
temperatura è fresca, a metà giornata lo togli per
poi indossarlo di nuovo la sera. Quindi, prima di
uscire, ricordiamo di mettere in borsa sempre il
nostro amato cardigan!

Giorno

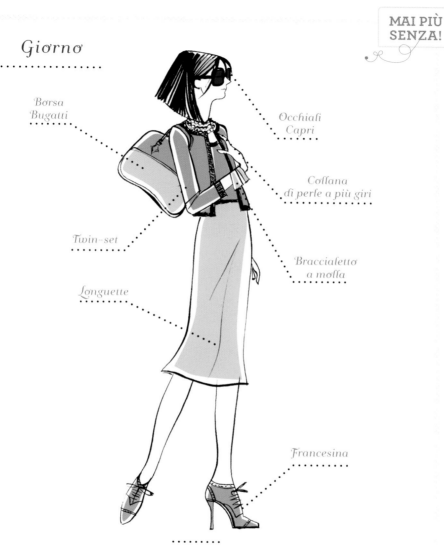

Borsa
Bugatti

Occhiali
Capri

Collana
di perle a più giri

Twin-set

Braccialetto
a molla

Longuette

Francesina

Uno stile raffinato come quello di Jacqueline Kennedy con un
tocco di vertiginosa modernità merito delle scarpe francesine.

Aperitivo

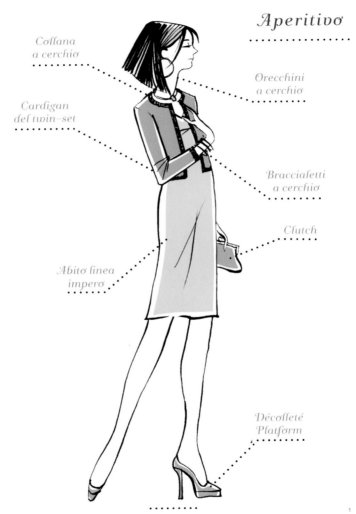

Collana
a cerchio

Orecchini
a cerchio

Cardigan
del twin-set

Braccialetti
a cerchio

Clutch

Abito linea
impero

Décolleté
Platform

Gli orecchini e i bracciali a cerchio conferiscono un tocco
fashion alla tua mise piuttosto classica.

Sera

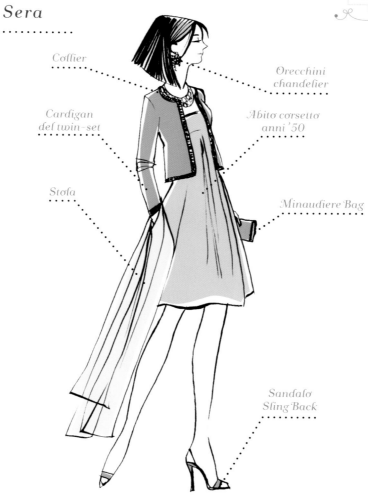

Collier

Orecchini
chandelier

Cardigan
del twin-set

Abito corsetto
anni '50

Stola

Minaudiere Bag

Sandalo
Sling Back

*L'abito ampio con il cardigan corto ricorda molto i film degli anni '50
e sarai perfetta per la tua serata, in dolce compagnia.*

Pantaloni, gonne e denim

·······

Il pantalone è un simbolo dei cambiamenti nei secoli: dai rivoluzionari francesi che li usavano lunghi e larghi, ai giovani che negli anni '70 li indossavano a vita bassissima, a zampa e in tessuto denim.

La gonna, invece, è sorprendentemente l'indumento più unisex della storia: per gli antichi Sumeri simbolo di autorità, per gli scozzesi, a pieghe, simbolo della nazione che non si arrende. Poi dai primi del Novecento la storia della gonna è esclusivamente femminile in un'evoluzione continua di lunghezze e linee.

Anche il denim ha molti anni sulle spalle. Usato nel Medioevo dai marinai per la navigazione, venne poi impiegato dai lavoratori del porto, esportato dall'Europa agli Stati Uniti dove Levi's Strauss, a metà dell'800, la utilizzò per una salopette e poi per il famoso jeans cinque tasche: il 501, emblema di una generazione ribelle che si ispirava a James Dean in GIOVENTÙ BRUCIATA.

Pantaloni

. . . .

In fondo il pantalone rende libere. Non a caso è stato simbolo di rivoluzioni e cambiamenti sociali. Indossare i pantaloni ti fa sentire a tuo agio, nei movimenti, nella postura, durante riunioni ed eventi oppure in casa. Sia il modello boyfriend sia il maschile sia il jogger. Attenzione alle tendenze! Se desideri un paio di pantaloni a vita alta, ricordati che donano solo a chi ha le gambe lunghe! Quelli a vita bassa, invece, vanno usati con cautela dalle rotondette; per tutte, un occhio di riguardo alla scelta dell'intimo che non deve vedersi.

A vita alta
. . . .

Palazzo
. . . .

Leggings
. . . .

Jogger
. . . .

Fitness con bordi in maglia
....

Fuseaux con ghette
....

Maschile
....

MAI PIÙ
SENZA!

Boyfriend
....

A zampa
....

Capri
....

Sarouel
....
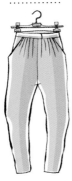

Alla caviglia
....

Cargo
....
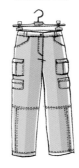

Biker
....

Cavallerizza
....
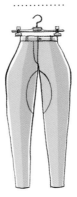

Pinocchietto sotto ginocchio
....

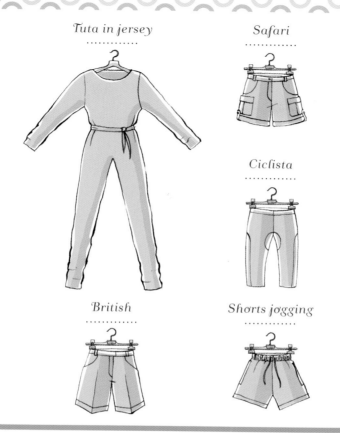

Tuta in jersey
....

Safari
....

Ciclista
....

British
....

Shorts jogging
....

I l pantalone si sceglie soprattutto per la comodità ed è perfetto anche indossato con scarpe basse! Però attenzione alle proporzioni... come sempre è una questione di armonia: se sei longilinea, la scarpa super flat è perfetta, se invece non sei altisima e con qualche chiletto in più devi scegliere molto bene sia la linea del pantalone, che non deve essere ampio, sia la scarpa che più ti valorizza. Armonia nelle proporzioni significa che la lunghezza della tua gamba dal punto vita alla caviglia deve essere almeno due volte la lunghezza del tuo busto. Se le tue misure non corrispondono proprio, allora è meglio indossare un tacco di almeno 9 cm per slanciare!

Pantalone maschile
....

MAI PIÙ SENZA un pantalone a uomo
nell'armadio. Ti starai chiedendo
perché proprio il pantalone maschile
con tutti i modelli che esistono in
commercio? Semplice, il pantalone
maschile non tramonta mai e, anche
quando non è proprio super hot, il
risultato del look sarà comunque chic!
Inoltre si presta a essere trasformato
e reinterpretato in look di tendenza.
Come? Innanzitutto scegliendo bene
la linea, che non deve essere né troppo
ampia né troppo a vita alta, e poi
abbinandolo a capi del guardaroba
e accessori che lo trasformano in
maniera perfetta per diverse occasioni.

Giorno

MAI PIÙ
SENZA!

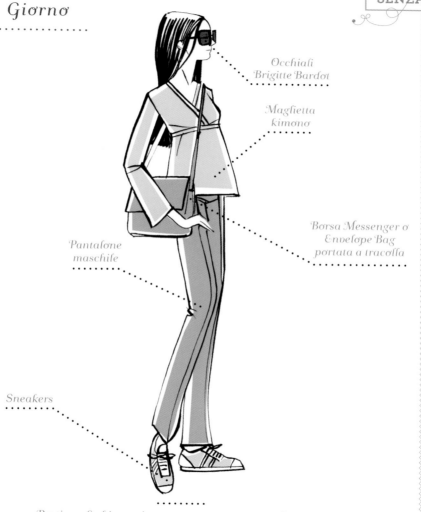

Occhiali
Brigitte Bardot

Maglietta
kimono

Borsa Messenger o
Envelope Bag
portata a tracolla

Pantalone
maschile

Sneakers

Pratica e fashion, sei pronta a scattare per una frenetica
giornata di commissioni tra ufficio, spesa e bambini!

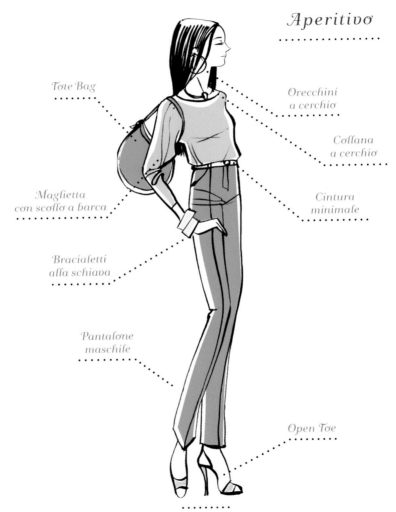

Aperitivo

Tote Bag

Orecchini
a cerchio

Collana
a cerchio

Maglietta
con scollo a barca

Cintura
minimale

Bracialetti
alla schiava

Pantalone
maschile

Open Toe

Qualche accessorio stiloso, le giuste proporzioni
e il tuo outfit diventa magicamente fashion.

Sera

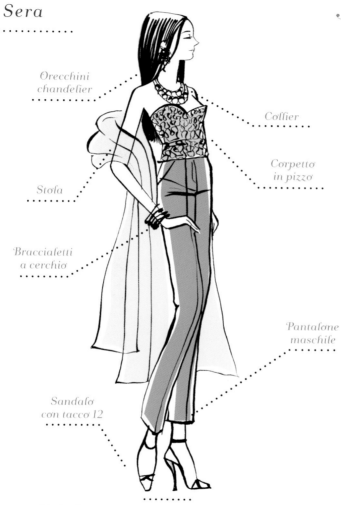

Orecchini
chandelier

Collier

Corpetto
in pizzo

Stola

Braccialetti
a cerchio

Pantalone
maschile

Sandalo
con tacco 12

Un look sexy per una serata mondana e frizzante.
Buona fortuna!

Gonne

Sapevate che le donne si dividono tra quelle che indossano solo gonne e abiti e quelle che prediligono i pantaloni? E perché questa divisione così netta? Pensateci: indossare la gonna richiede una maggiore attenzione alla postura; per esempio quando accavalli le gambe o quando ti siedi – se la gonna è ampia – devi accompagnare il tessuto e distenderlo bene prima di sederti per evitare che restino pieghe visibili quando ti rialzi. Anche le forme vanno tenute d'occhio quando si sceglie la gonna da indossare. Sei il tipo generoso? La tua gonna sarà quella svasata. Sei il tipo longilineo? Fanno per te sia la mini, sia quella a palloncino, ma anche la drappeggiata o la gitana.

Plissé
....

A pieghe fermate
....

Drappeggiata
....

Pareo
....

Gonna pantalone

Balze

Mini

Sirena

Portafoglio

A vita alta

Lolita

Gitana

Palloncino

A pieghe

Linea A

Svasata

MAI PIÙ
SENZA!

Baschina a pieghe

Ryota

Longuette

Dritta lunga

Kilt

Con lo spacco

A tubo

$\mathscr{G}$onna svasata

....

MAI PIÙ SENZA una gonna svasata nell'armadio.
È lei "la svasata", la linea più atemporale per
la gonna. Corta e icona alla fine degli anni '60,
è ritornata protagonista agli inizi degli anni
'90 grazie alle Maison minimaliste che l'hanno
allungata e chiamata longuette. Come distinguerla
dal tubino diritto? Semplice, si stende su una
superficie piatta, si prendono i lembi dell'orlo e
si ripiegano verso l'alto sino ad arrivare al punto
vita: se l'ampiezza del fondo supera per parte
5 cm – ma non oltre – la misura della vita della
gonna, avete trovato la vostra linea svasata!
Lei, "la svasata", è leggermente a campana e
scende dai fianchi allargandosi verso il fondo.
Proprio per questa sua essenzialità si presta a
essere interpretata in diversi modi, e con diversi
abbinamenti può essere classica, stilosa, sportiva
e persino aggressiva!

Giorno

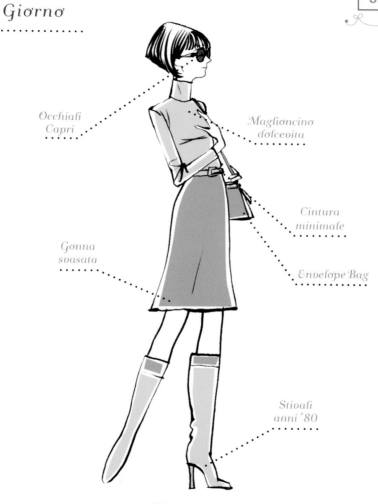

Occhiali
Capri

Maglioncino
dolcevita

Cintura
minimale

Gonna
svasata

Envelope Bag

Stivali
anni '80

*Linee morbide e femmminili per questo stile che ricorda
un po' gli anni '70 e che è sempre molto attuale.*

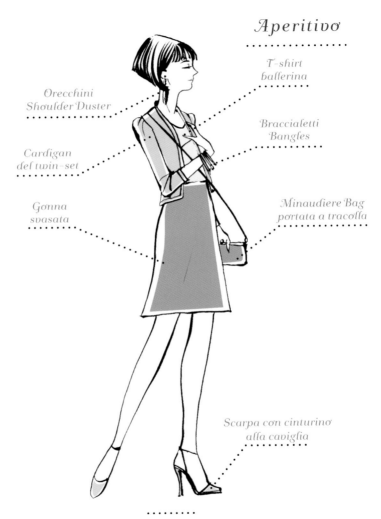

Aperitivo

T-shirt
ballerina

Orecchini
Shoulder Duster

Braccialetti
Bangles

Cardigan
del twin-set

Gonna
svasata

Minaudiere Bag
portata a tracolla

Scarpa con cinturino
alla caviglia

Gli orecchini donano luce al tuo viso e ti fanno sentire
un po' diva anni '80, quindi osa perché il tuo look è perfetto!

Sera

Collana
con charms

Orecchini
chandelier

Maglia con collo
ad anello

Bracialetti
a cerchio

Pochette
con tracolla

Cintura
Chanel

Gonna
svasata

Sandalo intrecciato
con cinturino
alla caviglia

*Il collo ad anello crea un curioso effetto di "vedo non vedo"
per cui ricordati di indossare un bel reggiseno di pizzo.*

Denim

. . . .

Il jeans è giovane, versatile, comodo,
si presta a molte occasioni diverse e,
a seconda del modello e delle tonalità
di blu, può cambiare completamente
faccia. Il colore del tessuto spazia dal
blu scurissimo detto blue black – non
ancora trattato – sino ad arrivare a
nuance di azzurri acquerellati definite
denim bleached. In entrambi i casi il
tessuto continua a perdere colore anche
dopo l'utilizzo. Unico il dettaglio delle
cuciture in color cuoio e la misurazione
delle taglie americane, che stabiliscono
contemporaneamente larghezza
della vita e lunghezza della gamba.
La numerazione per la donna parte
dalla 24 (che corrisponde a una 36/38
italiana) e definisce la taglia; l'inciso
30/32/33 ne definisce la lunghezza della
gamba: ad esempio il jeans 26/30 è più
corto rispetto al jeans 26/31. Sembra
un rompicapo ma una volta capito
il meccanismo è semplice e troverai
facilmente la tua taglia perfetta.

Salopette

. . . .

Shorts '50 style

. . . .

Hot Pants

. . . .

Skinny Slim

Boyfriend

Zampa anni '70

MAI PIÙ SENZA!

*L*a scelta del tipo di jeans deve essere molto accurata! Pare che, durante la prova del pantalone, la donna passi più tempo a controllare allo specchio il proprio lato B di qualsiasi altro dettaglio... e nel jeans succede tantissimo visto che il dietro è il suo punto focale. Quindi, quando osservi il lato B controlla che il jeans abbia una vestibilità sexy, tanto per un modello Boyfriend che per uno Skinny, controlla la posizione delle tasche – fai attenzione che non scendano troppo – e controlla che la gamba sia ben proporzionata e la lunghezza perfetta. Mai, mai e dico ancora mai fare l'orlo ai jeans! È terribile vedere il nostro pantalone, consumato e invecchiato al punto giusto, con una cucitura visibilmente nuova, orrore!

Boot Cut
....

Straight
....

Paracadutista
....

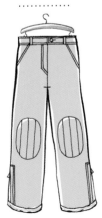

Militare
....

Cropped

Wide Leg

Biker Jeans

Minigonna

Gonna dritta

Camicia denim

Gilet sportivo con doppia cucitura

Jeans Skinny Slim

··········

*MAI PIÙ SENZA il jeans Skinny
Slim nell'armadio. Abbiamo
sempre molti jeans nel nostro
guardaroba, ma spesso non
vengono più utilizzati e tenuti
da parte per nostalgia. Invece
il jeans Skinny è sempre
HOT, possiamo indossarlo
come un leggings, possiamo
accessoriarlo molto e renderlo
glam o trasformarlo in maschile
e sportivo. Come? Come sempre
(non ci stancheremo mai di dirlo)
abbinandolo, arricchendolo e
coordinandolo con accessori cult
e di tendenza! Ti stupirai nelle
prossime pagine.*

Giorno

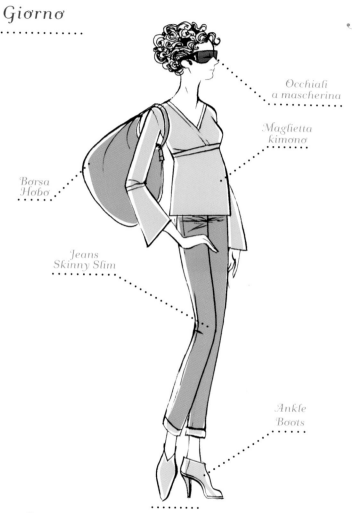

Occhiali
a mascherina

Maglietta
kimono

Borsa
Hobo

Jeans
Skinny Slim

Ankle
Boots

*Pratica e quotidiana, con grande stile dove nulla è lasciato
al caso. Con questo look sarai super trendy.*

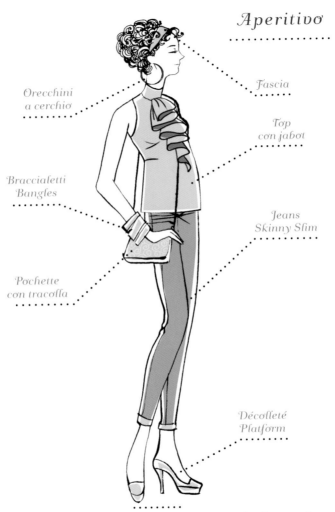

Aperitivo

Orecchini
a cerchio

Fascia

Top
con jabot

Braccialetti
Bangles

Jeans
Skinny Slim

Pochette
con tracolla

Décolleté
Platform

Pochi elementi per trasformarti, un rapido ma fondamentale
ritocco al trucco e sei perfetta per l'ora del cocktail. Cin cin!

Sera

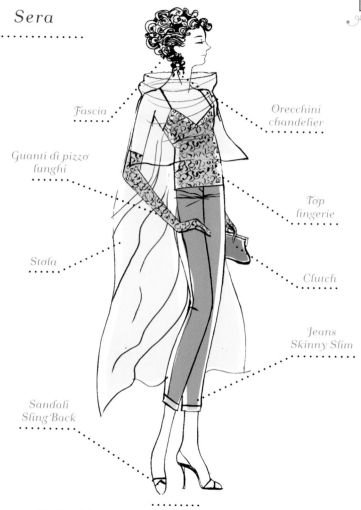

Fascia

Orecchini
chandelier

Guanti di pizzo
lunghi

Top
lingerie

Stola

Clutch

Jeans
Skinny Slim

Sandali
Sling Back

*Il pizzo del top e dei guanti uniti al gioco di trasparenze
creato dalla stola ti rendono molto molto intrigante...*

Tailleur e abiti

Due i tailleur più famosi nella storia della moda: il tailleur Chanel con la gonna e lo smoking di Yves Saint Laurent con il pantalone. Sofisticati e con carisma. Il tailleur è stato anche protagonista del cinema, da quello androgino per Greta Garbo a quello di Sigourney Weaver in UNA DONNA IN CARRIERA, icona anni '80.

L'abito, invece, è uno dei pezzi dalla storia più antica. Lo indossavano gli Egizi, uomini e donne, poi è diventato solo femminile e si è trasformato in un vero oggetto del desiderio, conoscendo il massimo splendore con il Re Sole: trine e vita strizzata diventano simbolo di aristocrazia. Alla fine dell'800 l'abito si rilassa, le forme si allungano e tutto diventa più lineare. Negli anni '60 il little black dress di Audrey Hepburn in COLAZIONE DA TIFFANY, disegnato per lei dal sarto Hubert de Givenchy, diventa icona.

Tailleur

. . . .

Il tailleur è formalità allo stato puro! Quello maschile è chiamato "completo", per la donna è semplicemente il tailleur; simbolo di difesa verso attacchi esterni – intendiamo quelli professionali – è rassicurante ed è uno status. Ti attende un'importante riunione di lavoro? Un consiglio di amministrazione? Oppure parteciperai a un evento con clienti? Il tailleur è sempre la scelta giusta!
Il modello classico, con pantalone o con gonna, e quello maschile sono i più autorevoli. Da cerimonia e femminili sono quelli più mondani, per eventi e gran soirée, e il modello minimale è il più urban, esclusivamente da città!

Classico con pantalone
. . . .

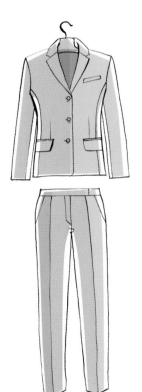

Classico con gonna
. . . .

Spencer
con pantalone
....

Chanel
....

Maschile
con collo a lancia
....

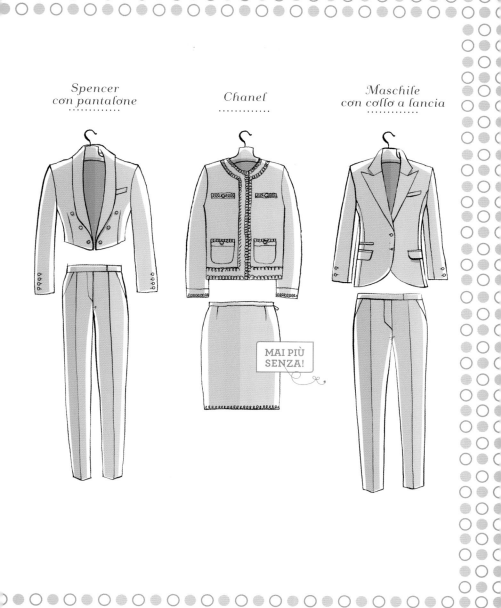

MAI PIÙ
SENZA!

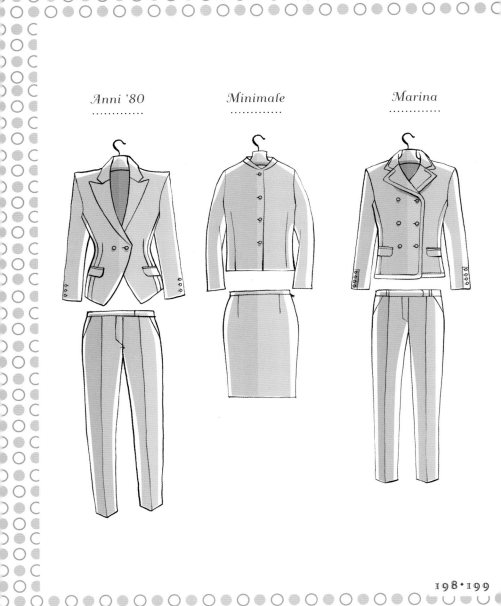

Anni '80
....

Minimale
....

Marina
....

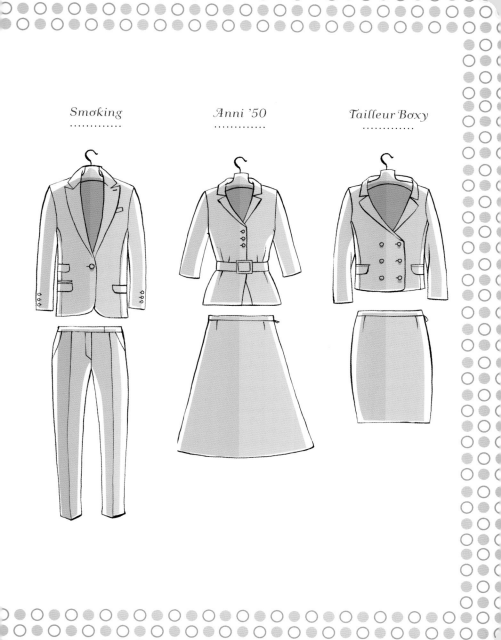

Smoking
....

Anni '50
....

Tailleur Boxy
....

Tailleur cerimonia
....

Tailleur femminile
....

Per il tuo tailleur, scegli colori chiari e luminosi per le mattine d'estate, in lana bouclé profilata con bottoni di metallo per l'inverno, in shantung ottoman di seta con revers importanti profilati per il pomeriggio con le amiche. Ricordati anche che il tailleur può trasformarsi, a seconda di come lo abbiniamo: se lo vuoi stiloso, indossalo con una T-shirt. Lo vuoi serioso? Scegli una camicia bianca a uomo. Lo vuoi da sera? Sotto il tailleur smoking mettiti un corsetto seducente!

Gilet classico
....

Gilet da Smoking
....

Gilet da Tight
....

Gilet da Frack
....

Tailleur Chanel

· · · · · · · · · ·

MAI PIÙ SENZA il tailleur Chanel
nell'armadio. Ideale se in tessuto
artigianale e intrecciato. Se siamo
amanti del tailleur il nostro armadio
ne conterrà molti, quello con il collo
a freccia e il pantalone, il tailleur
a uomo, il tailleur femminile,
il tailleur cerimonia, i gessati e gli
stretch. Ti sembrerà incredibile
ma solo cambiando abbinamenti
e accessori qualsiasi tailleur
può trasformarsi in mille modi
diversi! Quindi il consiglio non è
di acquistarne tanti, ma di averne
pochi scelti con cura e di saperli
abbinare con i capi giusti, usandoli
anche non "completi".
Spezzare deve diventare la regola!

Giorno

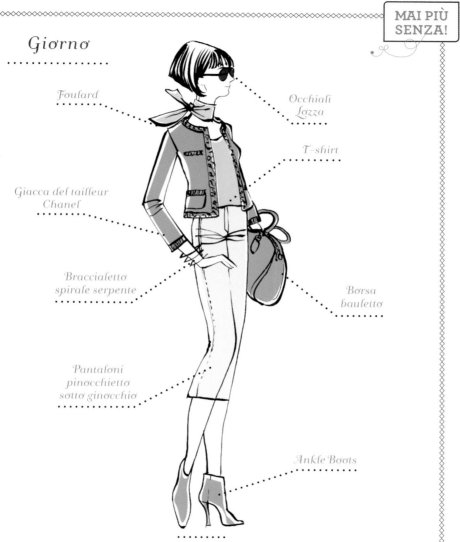

Foulard

Occhiali
Lozza

T-shirt

Giacca del tailleur
Chanel

Braccialetto
spirale serpente

Borsa
bauletto

Pantaloni
pinocchietto
sotto ginocchio

Ankle Boots

Ti manca solo una decapottabile e poi sei perfetta per fare un
giro in Costiera Amalfitana... ma anche per andare al lavoro!

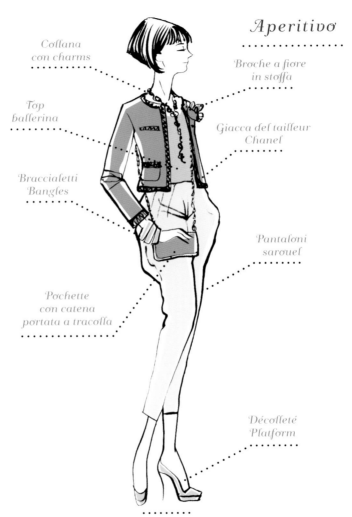

Aperitivo

Collana
con charms

Broche a fiore
in stoffa

Top
ballerina

Giacca del tailleur
Chanel

Braccialetti
Bangles

Pantaloni
sarouel

Pochette
con catena
portata a tracolla

Décolleté
Platform

Una broche sullo Chanel regala un tocco di charme al tuo look
così fashion, perfetto per sorseggiare un drink tra amici.

Sera

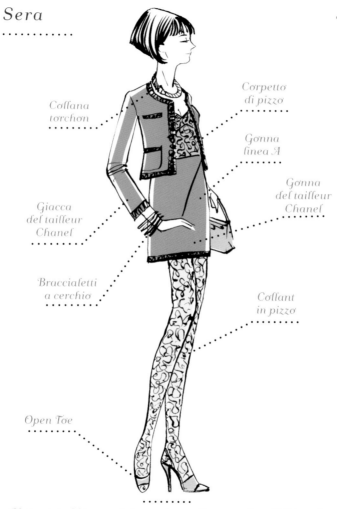

Collana
torchon

Corpetto
di pizzo

Gonna
linea A

Giacca
del tailleur
Chanel

Gonna
del tailleur
Chanel

Braccialetti
a cerchio

Collant
in pizzo

Open Toe

*Il pizzo si abbina perfettamente con il tessuto bouclé Chanel,
per cui osa senza paura perché la serata sarà un successo!*

Abiti

....

L'abito è femminile per definizione! Corto, lungo, aderente o morbido ha sempre un fascino ineguagliabile. Quelli per il giorno sono realizzati in tessuti pratici ma formali come lane e cotoni stretch, mentre per il tempo libero si usano lini e cotoni leggeri. Per sera e cerimonie le sete sono le protagoniste, con ricami, pizzi e applicazioni artigianali. Importante: forme diverse vogliono abiti diversi! Se sei magra, non tentare con quelli aderenti, meglio quelli morbidi e scivolati, magari in materiale lucente per serate speciali; se sei un po' tonda, innamorati degli abiti di linea romantica che scivolano sotto il seno, o di quelli a kimono, da giorno, che valorizzano le tue forme.

Corsetto anni '50
....

Linea anni '60
....

Linea ad A anni '70
....

Corsetto anni '80
....

Palloncino

Pipistrello

Americana

Caftano

Provenzale

Kimono

Linea impero

Tubino LBD

MAI PIÚ
SENZA!

Corsetto di linea vittoriana

Bustier

Sirena

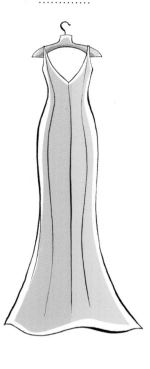

Chemisier

Tunica

. . . .

È vero che scelgliendo l'abito sei velocemente vestita, quindi potrebbe sembrare la soluzione più semplice per il mattino. Invece, oltre a scegliere l'abito con estrema attenzione in base alla linea e all'occasione d'uso, non devi dimenticare l'accessorio più adatto. Se l'abito è particolarmente scollato e da sera, opta per un torchon di pietre dure, se invece scegli un abito giorno puoi abbinare una broche in bachelite. Vuoi essere originale? Appuntala all'altezza della scapola.

Tubino LBD

· · · · · · · · · ·

MAI PIÙ SENZA l'abito a tubino LBD
nell'armadio. Il piccolo Little Black
Dress è una certezza! L'ideale sarebbe
averne più di uno, color mastice per
la primavera, bianco e blu per l'estate
e fucsia o bouganville per un evento
speciale. Tuttavia, se devi scegliere,
il nero è il più utile. Non sai cosa
indossare per una cena dell'ultimo
minuto? Apri l'armadio ed eccolo lì,
nero, semplice e assolutamente chic.
Ti rassicura, ti dona e conferisce
eleganza e sartorialità. Accessoriato
sapientemente può prendere
connotazioni molto diverse. Sfoglia le
prossime pagine e scoprirai come può
trasformarsi il tubino!

Giorno

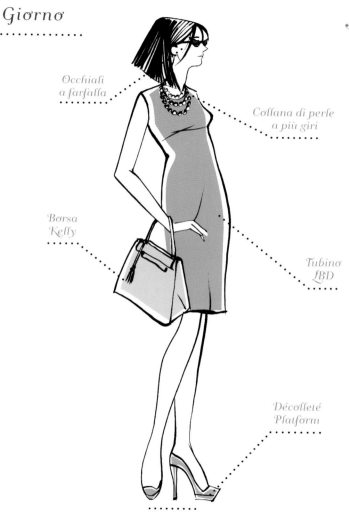

Occhiali
a farfalla

Collana di perle
a più giri

Borsa
Kelly

Tubino
LBD

Décolleté
Platform

Sarai allo stesso tempo semplice come solo Audrey Hepburn
sapeva essere e modernissima grazie a un tacco vertiginoso.

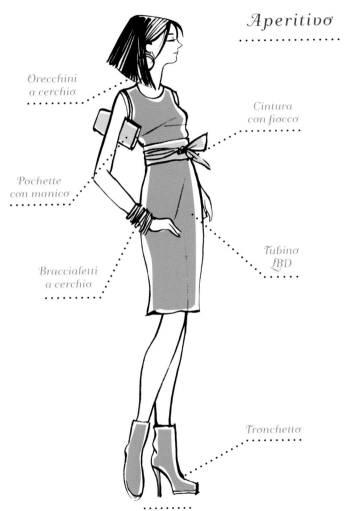

Aperitivo

Orecchini
a cerchio

Cintura
con fiocco

Pochette
con manico

Tubino
LBD

Braccialetti
a cerchio

Tronchetto

La cintura posizionata leggermente sotto il seno scolpisce
in maniera molto femminile la tua silhouette.

Sera

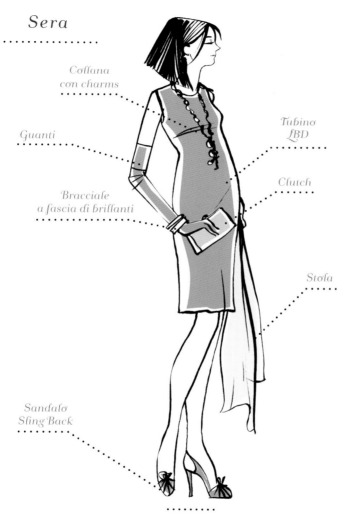

Collana
con charms

Guanti

Bracciale
a fascia di brillanti

Tubino
LBD

Clutch

Stola

Sandalo
Sling Back

Per una cena elegante o una serata di gala, guanti lunghi
e stola sono accessori assolutamente irrinunciabili.

Capi spalla

. . . .

Il capo spalla è combattivo, robusto, protettivo, waterproof e da difesa! Nasce come capo per le armate durante le guerre: il Montgomery, in tessuto robustissimo, era in dotazione alla Royal Navy con spalloni, alamari e cappuccio; il trench coat, "cappotto da trincea", era stato ordinato nel 1901 per le truppe inglesi alla Burberry; il cappotto a redingote invece era di uso per la nobiltà dei primi del '900.

Blouson, caban e sahariana sono invece capi d'abbigliamento quasi mitici: il caban di Corto Maltese, marinaio e avventuriero; il blouson di Steve McQueen nella Grande fuga, il bomber di Tom Cruise in TOP GUN e la sahariana dal sapore coloniale di Ernest Hemingway.

Trench e Cappotti

....

I cappotti sono tutti affascinanti; è sufficiente conoscerne linea, stile e occasione d'uso per non sbagliare l'acquisto. Il pea coat, chiamato anche caban, per la marina militare era considerato giaccone da guida, il 7/8 è un cappottino dalla linea diritta che arriva a metà coscia molto chic negli anni '60 e il modello a uovo super elegante ha un allure anni '30. Il parka è sportivo ed è utilizzato per la città, si trova anche imbottito come il cappotto minimal tipicamente urbano e molto anni '90.

Trench corto
....

Trench
....

MAI PIÙ SENZA!

Redingote
....

Classico monopetto
....

Montgomery

Classico doppiopetto

Cappa

Pea Coat

$^7/_8$

All'inglese

Maxi svasato
....

A uovo
....

....

V uoi essere chiccosa come le dive degli anni '40 e '50? I tuoi cappotti sono la *redingote*, il *trench* e la *linea trapezio*. Ti senti più dinamica e spigliata? Scegli il *parka*, il *militare* e il *trench corto*. Se ti senti androgina, i tuoi cappotti sono il *monopetto* e il *doppiopetto* rigorosamente in lana finissima o in tessuto di cashmere.

Anni '40
....

Anni '60
....

Parka
. . . .

A trapezio
. . . .

Militare
. . . .

Minimal
. . . .

. . . .

Si dice che il cappotto non passi mai di moda... Vale in realtà per alcuni inverni: l'imbottito regna sovrano, ma se pensiamo alle occasioni d'uso serali come una cena di gala o un evento a teatro, il cappotto è unico ed è sempre così chic! Sei in abito da sera e la pelliccia non è proprio il tuo genere (anche se ecologica)? Ebbene il cappotto a cappa, il maxy o la redingote nei colori scuri saranno fantastici e all'altezza della situazione.

Trench

....

MAI PIÙ SENZA il trench nell'armadio.
Proprio così, il trench è un evergreen.
Pensa anche solo al cinema: il più
chiccoso era quello di Humphrey Bogart in
Casablanca, il più enigmatico era il trench
indossato da Peter Sellers ne La Pantera
Rosa e da Peter Falk, in arte l'ispettore
Colombo. Per tutti il trench è color kaky!
Se ne hai uno deve essere di questo colore,
se poi ne vuoi un secondo o un terzo puoi
scegliere il nero e poi il blu navy. È ideale
nel passaggio di stagioni e, se viaggi nei
paesi anglosassoni, è una certezza contro
gli acquazzoni improvvisi. Tuttavia non
è solo urbano ma può diventare anche
un capo da gran sera. Come? Sfoglia le
prossime pagine e lo scoprirai.

Giorno

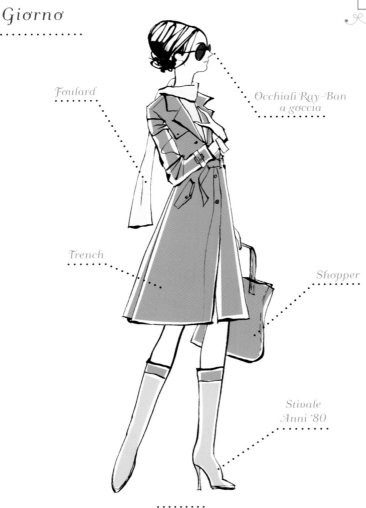

Foulard

Occhiali Ray-Ban
a goccia

Trench

Shopper

Stivale
Anni '80

Una mise perfetta per il cambio di stagione
con sotto una gonna e un dolcevita.

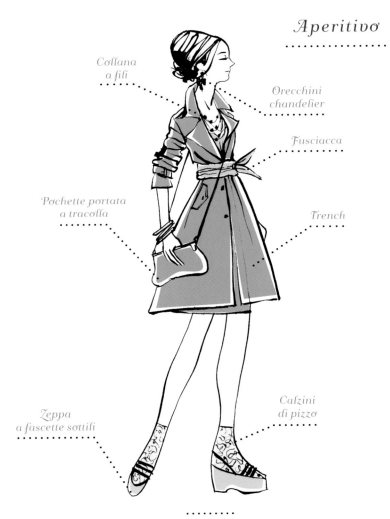

Aperitivo

Collana
a fili

Orecchini
chandelier

Fusciacca

Pochette portata
a tracolla

Trench

Zeppa
a fascette sottili

Calzini
di pizzo

Il trench tenuto leggermente aperto da una cintura e con le
maniche tirate su ti dona subito un'aria fashion e glam.

Sera

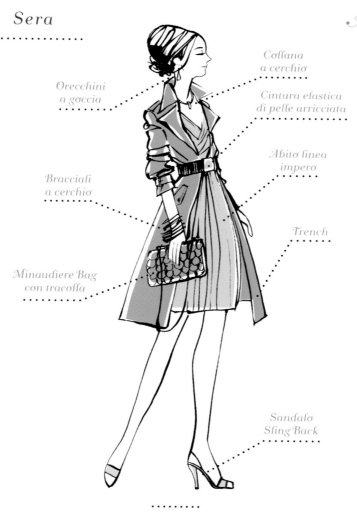

Collana
a cerchio

Cintura elastica
di pelle arricciata

Orecchini
a goccia

Abito linea
impero

Bracciali
a cerchio

Trench

Minaudiere Bag
con tracolla

Sandalo
Sling Back

Osa e stupisci, con un look da "robe manteau"
lascerai tutti a bocca aperta.

Blusơn e Caban

....

I caban, i blouson e la sahariana (se non è in cotone color kaky si chiama Field Jacket) sono comodi e facili da portare. Lasciano i movimenti liberi per la guida in auto, in scooter e in moto. Sportivi per natura, possono diventare decisamente cult! Adatti per risolvere il dilemma "cosa mi metto nel cambio di stagione?": quando si passa dal rigido inverno ai primi cenni di primavera oppure dalla tiepida fine estate al fresco autunno avanzato. Insomma una vera ancora di salvezza alla quale aggrapparsi per i migliori outfit!

Chiodo

....

MAI PIÙ SENZA!

Jeans

....

Sahariana/
Field jacket
....

K-way
....

Caban
....

Barracuda
....

Minimale

Bomber

Aviatore

$\mathcal{S}$ ahariane, caban, blouson, chiodo, anorak, k-way: per essere indossati con stile questi capi presuppongono un vero studio del look che sembra semplice ma, attenzione, non lo è! Tutti richiedono abbinamenti diversi. Quindi attenzione ai volumi: i corti, tra cui il blouson, il chiodo, il motociclista, il bomber, il barracuda, vanno abbinati a gonne o pantaloni di volume; i capi di lunghezza media come la sahariana, il caban e l'anorak necessitano di linee filiformi come i leggings. Se segui queste semplici indicazioni non sbaglierai di certo il tuo look!

Motociclista

City

Fitness

Anorak

Chiodo

. . . .

MAI PIÙ SENZA un chiodo
nell'armadio. Deve essere
rigorosamente nero e in pelle!
In francese si chiama "perfecto"
ed è diventato famoso verso la
fine degli anni '70 grazie a Ron
Halford, leader di una delle prime
band heavy metal, i Judas Priest.
Il chiodo è stato poi decorato con
stemmi metallici, chiodi logati,
borchie e tutto ciò che poteva
rappresentare una cultura da
"duri". Anche oggi il chiodo
mantiene quell'aria forte e rock
che non scende a compromessi.
Ma tra le tue mani si addolcisce e
si trasforma in un capo fashion e
anche da gran sera!

Giorno

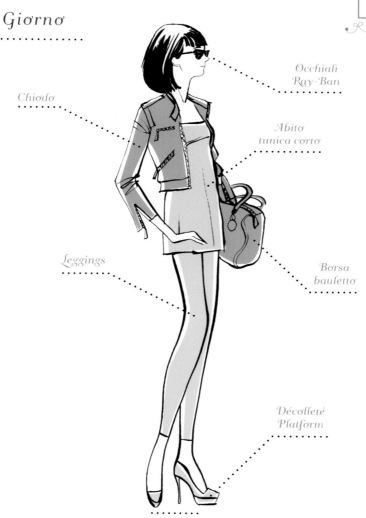

Chiodo

Occhiali
Ray-Ban

Abito
tunica corto

Leggings

Borsa
bauletto

Décolleté
Platform

*Un look easy per andare al lavoro
e sentirti davvero molto alla moda.*

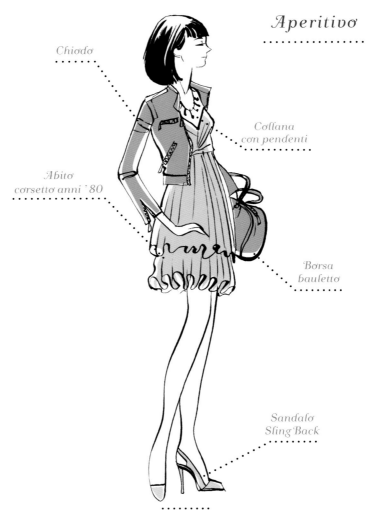

Aperitivo

Chiodo

Collana
con pendenti

Abito
corsetto anni '80

Borsa
bauletto

Sandalo
Sling Back

L'abbinamento chiodo-abito corsetto anni '80
ti rende una vera icona di stile.

Sera

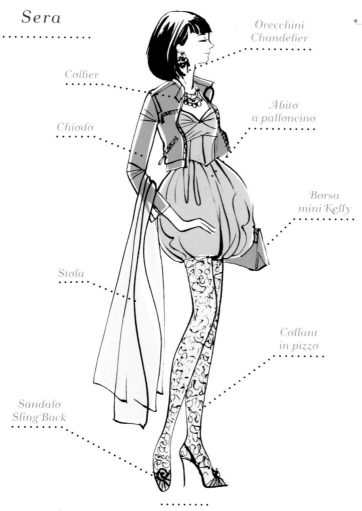

Orecchini
Chandelier

Collier

Abito
a palloncino

Chiodo

Borsa
mini Kelly

Stola

Collant
in pizzo

Sandalo
Sling Back

*Non ti spaventare per i diversi volumi di questa mise:
le proporzioni sono perfette per una serata in discoteca.*

Accessori

. . . .

La borsetta è l'accessorio più amato dalle donne. C'è chi dice che sia nata nel passaggio dal baratto alla moneta, ma una cosa è certa: fin dall'inizio sono state monopolio femminile. Nei secoli si è trasformata, fino al '900 quando, da piccola e discreta negli anni '30 è diventata grande negli anni '70, per poi trasformarsi in una busta da business negli anni '80 e tornare di nuovo mini nel 2000. Meglio averne una per ogni occasione!

Altro accessorio fetticio è la scarpa. Non importa quante ne abbiamo, importa quante ne vorremmo. Non bastano mai: ogni outfit è uno stile e soprattutto ha bisogno di una scarpa che completi al meglio il look. E se si sbaglia proprio questa sono dolori. Tutti gli accessori servono: i bijoux per creare un sogno, e poi ancora le cinture, i foulard, i cappelli e gli occhiali da sole per quel non so che... che sa proprio di stile!

Hobo

Jackie's

Shopping Bag

Clutch

Minaudiere Bag

Pochette

Birkin

Envelope Bag

Cesto di rafia

Bugatti

Baguette

Bauletto

2.55

Borse

Tutto il tuo mondo a portata di mano, anzi di borsa. Grandi e capienti, di tessuto, in pelle o suede, ricamate, piccole e luccicanti, sono senza dubbio le migliori e inseparabili amiche della donna... sanno sempre tutto di te! Quando esci il mattino infila nella tua Shopping Bag una deliziosa Clutch così per andare a cena fuori direttamente dall'ufficio puoi sfoggiarla ed essere perfetta.

Pouch Bag

Kelly

Tote Bag

Scarpe

··········

La scarpa è l'accessorio cult per eccellenza. Puoi indossare lo stesso abito per tutto il giorno, ma non puoi assolutamente (mai e poi mai!) pensare di avere ai piedi lo stesso paio di scarpe. Ricorda che è grazie alle scarpe giuste che l'abito più banale può acquistare personalità e farti sentire splendida e unica. Ci sono poche semplici regole che devi ricordarti: cinturini alla caviglia, cuissard e tronchetti sono vietati per le minute, invece per chi ha gambe chilometriche e affusolate, tutto è permesso, anche le ballerine.

Mary Jane
··········

Beatles
··········

Zoccolo
··········

Infradito caprese
··········

Ankle Boots
··········

Francesina
··········

Biker
··········

Cortina
··········

Tronchetto
··········

Loafer
....

Peter Boot
....

Sabot
....

Oxford Derby
....

Sandalo Sling back
....

Ballerina
....

Open Toe
....

Décolleté Platform
....

Sneaker
....

Fusbet
....

Zeppa
....

Mocassino
....

Riding

....

Texano
....

Indiano
....

Cuissard
....

Anni '60
....

Anni '80
....

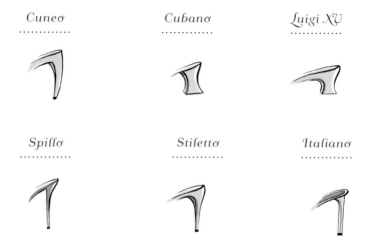

Cuneo

Cubano

Luigi XV

Spillo

Stiletto

Italiano

Tacchi

I più famosi sono i tacchi stiletto e quelli a spillo, e ogni donna è rimasta sedotta da almeno uno dei due. Il più romantico è il tacco a rocchetto e il Luigi XV, i più movimentati sono il cubano e il campana, la più comoda è decisamente la zeppa e il più fashion è il tacco a cuneo. E non poteva mancare il tacco italiano, dritto, longilineo e stiloso in omaggio alla nostra più antica tradizione calzaturiera.

Rocchetto

Zeppa

Campana

Cinture

. . . .

*A*ttenzione per-
ché la cintura
è forse l'accessorio
più pericoloso. Va
usato con grande
cautela e dipende
molto come sei fat-
ta. Può rendere il
look più glam: se
hai la vita stretta
puoi indossare un
corsetto, se invece
hai i fianchi gene-
rosi una fusciacca
a vita bassa ti aiu-
terà.

Western
. . . .

Militare
. . . .

Cordone
. . . .

Da jeans
. . . .

A bustino
. . . .

In forma
. . . .

Minimale
. . . .

Foulard
. . . .

Anelli di metallo
. . . .

Fusciacca
. . . .

Chanel
. . . .

Bijoux

· · · · · · · · · ·

Se hai questa piccola debolezza non te ne facciamo una colpa, d'altra parte a chi non piacciono i bijoux tempestati di magiche pietruzze scintillanti? L'unica raccomandazione è saperli dosare con misura per non eccedere. Mescolali, sbizzarrisciti ma attieniti a qualche semplice regola: mai strass o pietre troppo grosse e vistose per il tuo giro quotidiano al supermercato, parure ingombranti e costose per l'ufficio o la coda in posta. Meglio orecchini a clip, qualche bracciale e l'orologio col quadrante in madreperla. Conserva la tua fantasia per le occasioni più importanti e per la sera.

Solitario
· · · · · · · · · · · ·

Chevalier
· · · · · · · · · · · ·

3 Fedi
· · · · · · · · · · · ·

Fedi Bulgari
· · · · · · · · · · · ·

Trilogy
· · · · · · · · · · · ·

Fede Cartier
· · · · · · · · · · · ·

Anello a spirale
· · · · · · · · · · · ·

Orecchini a cerchio
· · · · · · · · · · · ·

Shoulder Duster
. . . .

Chandelier
. . . .

Chiusura a perno
. . . .

Orecchini
a goccia
. . . .

Chiusura a clip
. . . .

Monachelle
. . . .

Braccialetto
Bangles
. . . .

Braccialetto
Tennista
. . . .

Braccialetto
a molla
. . . .

Braccialetto
a cerchio
. . . .

Braccialetto
a fascia di brillanti
. . . .

Braccialetto
alla schiava
. . . .

Braccialetto spirale serpente
....

Braccialetto maglia
....

Collana torchon
....

Collana a fili
....

Collana pendente
....

Collana con charms
....

Bracciale a Piastra

....

Collana a cerchio

....

Collier

....

Collana giro perle

....

Gli anelli puoi cambiarli a piacimento in base al look e all'occasione, la fede nuziale invece resta sulla tua mano sinistra per tutta la vita perciò prediligi una vera in oro bianco o rosa dal design classico e rassicurante, una francesina o al massimo una mantovana!

La spilla è un gioiello veramente attuale e di tendenza. Molto duttile, può essere appuntata su una T-shirt rendendola romantica e preziosa, sul revers di un tailleur o su un Little Black Dress. Usa quelle di tua mamma o vai alla ricerca di mercatini vintage perché ce ne sono alcune degli anni '50 veramente bellissime.

Occhiali

. . . .

Per proteggere gli occhi
dal sole o mascherarne
l'aspetto dopo notti
folli, gli occhiali aiutano
spesso a donarti
quell'aria da diva
che tanto ti piace e ti
fa sentire disinvolta.
Scegli in base alla
forma e alle proporzioni
del tuo viso. Se è ovale
e regolare i Rosin o
i Teash Ades fanno
per te; se è tondo,
diventerai star con
gli occhiali Ray-Ban a
goccia, con i Personal o
con quelli Farfalla;
se è squadrato
opta per i modelli
Brigitte Bardot e Capri.

Brigitte Bardot
. . . .

Rosin
. . . .

Carrera
. . . .

Capri
. . . .

Matrix

Mascherina

Teash Ades

Ray-Ban

Lozza

Personal

Ray-Ban a goccia

Farfalla

Ma come sei fatta?

Guardati un attimo
allo specchio prima di
scegliere cosa mettere

La watussa

MAI PIÙ SENZA!

PANTALONI AMPI: il palazzo, il sarouel, il fitness, il cavallerizza, a zampa. Te li puoi permettere e visivamente ti proporzionano. **SCARPE BASSE:** ballerina, mocassino, oxford derby, loafer, sneackers, infradito, stivale indiano. **MAGLIE DI VOLUME:** pipistrello, kimono e cardigan over sono proprio per te! E in un attimo potrai assomigliare a Uma Thurman. **BORSE GRANDI:** Birkin misura da weekend, Bugatti e shopper maxy. **CAPPELLI A TESA LARGA:** solo tu te li puoi permettere grandi e scenici come le dive del passato.

MAI PIÙ CON!

PANTALONI A VITA ALTA: non metterli se non vuoi sembrare ancora più alta. **TACCHI 15 CM:** con scarpe così alte, anche il tuo lui potrebbe sentirsi sminuito! Al massimo ti permettiamo tacchi 9 cm. Sei già bellissima con la tua altezza. **TAILLEUR O GIACCHE ANNI '80:** No, è meglio non osare! Le spalle larghe non ti valorizzano. **CAPPOTTO MAXY SVASATO:** ti allungherebbe proprio troppo, meglio non esagerare.

....

MAI PIÙ SENZA!

ABITI INTERI: di linea diritta come i tubini, quelli anni '60 al ginocchio ti valorizzano e ti slanciano. **TACCHI:** non oltre i 10 cm, il tacco esagerato su di te che sei mignon mette in evidenza la tua piccola statura! Armonia deve essere la parola d'ordine. **PANTALONI DRITTI:** ma non ampi perché ti abbassano! Il Capri e i leggings sono i modelli che più ti valorizzano. **GONNE DRITTE:** a tubino, svasate, linea A, portafoglio, e somiglierai subito a Cristina Ricci, icona delle donne folletto.

MAI PIÙ CON!

IL LUNGO: che siano abiti gonne o cappotti, ti abbassano e non ti slanciano. **LE FORME AMPIE:** i pantaloni palazzo, i sarouel, i cavallerizza e i maglioni over size non ti aiutano molto. **BORSE ENORMI:** le misure maxy non fanno per te! Se no sembra che sia la borsa a portarti a passeggio.

L'acciuga

MAI PIÙ SENZA!

PANTALONI BOYFRIEND O MOR-BIDI: ti donano e ti mettono in risalto la tua linea sottile. **SOVRAPPOSIZIO-NI:** che siano T-shirt, canotte, maniche lunghe e maniche corte, più maglie una sopra l'altra ti staranno benissi-mo. **CAMICIE MASCHILI:** con il tuo fisico asciutto questi modelli un po' androgini ti valorizzano. **TAILLEUR:** scegliendo i modelli a uomo ti sentirai proprio come Kate Moss.

MAI PIÙ CON!

LEGGINGS: ti fanno sembrare un po' spigolosa. **T-SHIRT ADERENTI:** è meglio non mostrare le costole. **HOT PANTS:** super trendy ma (nel tuo caso) metteresti solo in mostra le tue gambe da stambecco. **ABITI CORTI:** se sono aderenti non ti donano. **VESTITI DA BAMBINA:** con rouches e arricciature, corti e con fantasie tenere. Sembrerai solo un'adolescente! Non ti valorizze-ranno.

MAI PIÙ SENZA!

GONNA: la tua deve essere dritta o leggermente svasata. **CAMICIA FEMMINILE:** valorizza il décolleté e nasconde quel filo di pancetta. **SOTTOVESTE IN PIZZO:** sei la regina dell'intimo e devi mettere in evidenza le tue forme. **ABITO ALL'AMERICANA:** come quello indossato da Marilyn Monroe; per te va benissimo! **COSTUME RETRÒ:** sei o non sei una pin up? Prendi ispirazione da Dita Von Teese, il sex appeal in persona. **ABITO A CORSETTO ANNI '50:** tu sei un'icona delle forme, perciò mostrale!

MAI PIÙ CON!

T-SHIRT ADERENTI: da evitare l'effetto sottovuoto che mette in evidenza i rotolini. **PANTALONI MASCHILI O AMPI:** perché non ti valorizzano e mortificano le tue forme che invece sono da esaltare. **BORSE DI FORMA ROTONDA:** non usare ciò che ricorda le tue rotondità, come la Hobo e il bauletto. **CAPPOTTO MILITARE:** non mette in risalto il tuo décolleté. **MINIGONNA:** non ti slancia.

Dedica

....

Ci fa piacere dedicare questo primo libro alle
nostre tantissime fan che in questi anni
non hanno mai smesso di seguirci in tv
e che ci hanno sostenuto, amato e gratificato
con il loro grande affetto.
Un grazie speciale alle nostre "vittime",
a tutte quelle ragazze, giovani donne
e ragazzi che si sono affidati
ai nostri consigli, mettendosi spiritosamente
in gioco nel corpo a corpo tra noi
e loro davanti al bidone.
Non vogliamo dimenticare però le fan più giovani,
le ragazzine che si contendono il telecomando con
i fratelloni sportivi perché non vogliono perdere
nemmeno le repliche di Ma come ti vesti?!.
A loro, ma forse non ce ne sarebbe
neppure bisogno,
il consiglio affettuoso di créscere con gusto...

Carla & Enzo

Ringraziamento

Un ringraziamento speciale a Ermanno e Toni.
A Richard uno **special thank you** per i suoi acuti
consigli e per essere sempre al mio fianco. **Carla**

Le persone a cui dire grazie sono davvero tante
e di molte non conosco nemmeno il nome.
Sono tutti quelli che ho incontrato durante
il mio percorso personale e professionale,
dai quali ho imparato qualcosa.
Aggiungo un grazie speciale ad Adriana, Rossella
e Riccardo... loro sanno il perché. **Enzo**

Crediti fotografici

. . . .